A transformação do
RH

T772 A transformação do RH : construindo os recursos humanos de fora para dentro / Dave Ulrich... [et al.] ; tradução: Heloisa Fontoura. – Porto Alegre : Bookman, 2011.
256 p. : il. ; 23 cm.

ISBN 978-85-7780-839-7

1. Administração. 2. Administração de pessoal. 3. Administração de recursos humanos. I. Ulrich, Dave.

CDU 005.95/.96

Catalogação na publicação: Ana Paula M. Magnus – CRB 10/2052

DAVE ULRICH   JUSTIN ALLEN
WAYNE BROCKBANK
JON YOUNGER   MARK NYMAN

A *transformação do*
RH

CONSTRUINDO OS
RECURSOS HUMANOS
DE FORA PARA DENTRO

Tradução:
Heloisa Fontoura

bookman

2011

Obra originalmente publicada sob o título
HR Transformation: Building Human Resources From the Outside In
ISBN 007-163870-9/9780071638708

Copyright © 2009, The McGraw-Hill Companies, Inc.
Todos os direitos reservados.

Capa: *Rosana Pozzobon*

Leitura final: *Leonardo Zilio*

Editora sênior: *Arysinha Jacques Affonso*

Projeto e editoração: *Techbooks*

Reservados todos os direitos de publicação, em língua portuguesa, à
ARTMED® EDITORA S.A.
(BOOKMAN® COMPANHIA EDITORA é uma divisão da ARTMED® EDITORA S.A.)
Av. Jerônimo de Ornelas, 670 - Santana
90040-340 Porto Alegre RS
Fone (51) 3027-7000   Fax (51) 3027-7070

É proibida a duplicação ou reprodução deste volume, no todo ou em parte, sob quaisquer formas ou por quaisquer meios (eletrônico, mecânico, gravação, fotocópia, distribuição na Web e outros), sem permissão expressa da Editora.

SÃO PAULO
Av. Embaixador Macedo Soares, 10.735 - Pavilhão 5 - Cond. Espace Center
Vila Anastácio 05095-035 São Paulo SP
Fone (11) 3665-1100   Fax (11) 3667-1333

SAC 0800 703-3444

IMPRESSO NO BRASIL
PRINTED IN BRAZIL
Impresso sob demanda na Meta Brasil a pedido de Grupo A Educação.

AGRADECIMENTOS

Temos muitas dívidas com diversas pessoas que possibilitaram este trabalho. Como é impossível agradecer formalmente a todos que contribuíram desde a concepção até a realização final deste livro, gostaríamos de começar agradecendo aos profissionais de recursos humanos nas empresas e nas conferências em que testamos e aprimoramos nossas idéias.

Devemos um agradecimento especial aos membros do The RBL Institute por seu contínuo apoio, colaboração e ideias. Neste trabalho, destacamos especialmente quatro membros do Instituto, mas devemos um profundo agradecimento a todos eles, pois continuam a acrescentar valiosos *insights* aos nossos minifóruns e *think tank sessions* onde testamos nossas ideias e aprendemos a partir de suas perguntas e suas melhores práticas. Tivemos a felicidade de aprender com líderes conceituados, em empresas de destaque, que nos ensinaram com suas criações a aplicação de ideias.

Também devemos um agradecimento especial a Hilary Powers que é nossa sempre generosa e inteligente editora e paladina da escrita.

Agradecemos nossos colegas de RH que nos ajudaram com várias idéias. A lista inclui escritores como Dick Beatty, Michael Beer, John Boudreau. Peter Cappelli, Wayne Cascio, Ram Charan, Lee Dyer, Bob Eichinger, Jac Fitz-enz, Fred Foulkes, Bib Gandossy, Jay Galbaith, Marshall Goldsmith, Boris Groysberg, Lynda Gratton, Mark Huselid, Bill Joyce, Tom Kochan, Steven Kerr, Dale Lake, Ed Lawler, Mike Losey, Sue Meisinger, Henry Mintzberg, Jeffrey Pfeffer, Bonner Ritchie, Libby Sartain, Warren Wilhelm e Patrick Wright.

Além deles, tivemos o privilégio de trabalhar com The RBL Group (www.rbl.net), que patrocinou este trabalho e ofereceu extensos *insights* em suas aplicações enquanto testava essas ideias ao redor do mundo. Temos uma dívida especial com Norm Smallwood, sócio-gerente, e Eric Denna, executivo de operações, que nos mantém na direção certa. Agradecemos também a nossos estimados colegas do RBL, atuais e antigos, sem os quais este trabalho não teria sido possível: Allan Freed, Bonner Ritchie, Dave Hanna, David Gilliland, Debbie Ashby, Erin Burns, Ernesto Usher, Gene Dalton, Ginger Bitter, Judy Seegmiller, Justin Britton, Kate Sweetman, Kaylene Allsop, Luke Ellsworth, Meggan Pingree, Melanie Ulrich, Nate Thompson, Paul Thompson, Ryan Lusvardi, Scott Harper, Tricia Smallwood e Wes Hackett.

E o mais importante, um enorme agradecimento às nossas famílias que toleraram nossa obsessão por escrever: Wendy Ulrich, Emily Allen, Nancy Brockbank, Carolyn Younger e Shary Nyman.

Esperamos que a orientação e os exemplos encontrados neste livro sirvam para aprimorar a capacidade dos líderes de RH de agregarem valor significativo às suas organizações.

PREFÁCIO

Aumentou a exigência na área de recursos humanos.
Nos últimos 50 anos, os profissionais de RH passaram da área de relações industriais, na qual negociam os termos e as condições de trabalho, a especialistas em pessoal com *expertise* em práticas de RH, como recrutamento, pagamento, treinamento e desenvolvimento organizacional, e a parceiros de negócio que transferem valor para o sucesso do negócio. Tivemos o privilégio de observar e, em alguns casos, influenciar essa transição. Nos anos 90, escrevemos o livro *Human Resources Champions*, no qual incentivamos os profissionais de RH a focar mais nos resultados do que nas atividades e definimos quatro papéis que refletiam os resultados que deveriam transmitir (especialista administrativo, funcionário-padrão, parceiro estratégico e agente de mudança). Desenvolvemos essas ideias no livro *HR Value Proposition* ao focarmos na criação de valor para funcionários e gerentes de área internos e para investidores externos da empresa. No livro *HR Competencies*, pesquisamos e documentamos as competências necessárias para os profissionais de RH. Em cada um desses livros, assim como em dezenas de artigos e centenas de *workshops,* aprendemos que o papel mais estratégico do RH é muito menos o de ter "um lugar à mesa" do que o de ser líder de negócio gerindo assuntos de talento e organização para alcançar os objetivos da empresa. Quando os profissionais de RH ajudam os líderes de negócio a transmitirem valor aos investidores, clientes e comunidades, o RH, por sua vez, gera valor.

Como os desafios comerciais se tornam mais complexos com as mudanças e pressões econômicas, globais, tecnológicas, competitivas, de clientes e demográficas, os líderes buscam soluções inovadoras para administrar custos e crescimentos de curto e longo prazo, tanto local quanto globalmente. Para que os profissionais de RH contribuam com essas exigências, eles precisam mudar a forma de trabalhar. Essa transformação fundamental deve acontecer no modo como o departamento de RH é organizado (em centros de serviço, centros de especialização, RH incorporado); como as práticas de RH são concebidas, integradas e alinhadas às exigências do negócio; e como os profissionais de RH devem estar preparados para contribuir. A urgência na transformação do RH é intensificada por um ambiente econômico cada vez mais incerto.

O Instituto RBL

Ao longo de nosso raciocínio, escrita e consultas sobre esses temas, continuamos a aprender muito COM líderes ponderados e inovadores. Demos forma a nossas oportunidades de aprendizagem quando o Instituto RBL, nossa empresa de consultoria, fundou o The RBL Group, um fórum dedicado a ajudar altos executivos de RH das empresas associadas a criarem valor ao desenvolver o campo do RH estratégico. Por meio de sessões *think tank* interativas com importantes profissionais e pensadores de RH, vinculamos a teoria emergente com soluções práticas que podem ser utilizadas imediatamente para criar resultados significativos e duradouros. Em contatos frequentes com os líderes de RH mais experientes do mundo, exploramos novas estruturas para tratar os problemas mais urgentes e identificar novos locais para testar melhores práticas. Depois, encapsulamos nossos pensamentos em papéis brancos, muitos dos quais foram sementes para este trabalho. Por fim, equipamos nossos membros do Instituto com ferramentas, processos e treinamento enquanto eles continuam sua jornada através das dificuldades diárias e testam nossas ideias coletivas nas trincheiras. Ficamos honrados em aprender com os grandes líderes de empresas de ponta. Sentimo-nos privilegiados em trabalhar com um grupo tão forte de líderes de RH em todo o mundo. Por meio de diálogos com essas empresas de ponta e esses pensadores, criamos uma série de livros sobre tópicos importantes para a profissão de RH, inclusive a dimensão do RH, a gestão de talentos, o replanejamento da organização e assim por diante.

Por meio de nossas discussões com importantes executivos de RH, a partir de nossas próprias pesquisas e baseados em nossas experiências, queríamos documentar o procedimento para transformar o RH. Conhecemos a teoria acadêmica, fizemos pesquisas empíricas e tivemos diversos trabalhos maravilhosos de consultoria. Este trabalho é a compilação de nossos *insights:* um manual para a transformação do RH.

Nossa expectativa para o futuro do RH

Como observadores da profissão de RH, temos uma enorme confiança e esperança no futuro. Neste livro, descrevemos o caminho dessa esperança. Sugerimos as razões pelas quais o RH deve ser de interesse dos líderes de negócio e as maneiras pelas quais o RH pode conectar seu trabalho dentro da organização com clientes, investidores e líderes comunitários externos. Definimos resultados do bom trabalho de RH não em termos de atividades, mas de capacitações organizacionais. Oferecemos orientações específicas para a transformação dos departamentos ou das funções de RH, das práticas de RH e dos profissionais de RH. Essas orientações refazem, reformulam e atualizam a profissão. Sugerimos papéis especiais para gerentes de área, profissionais de RH, funcionários e assessores desempenharem na esperança da transformação. Sabemos que não temos respostas para todas as perguntas e que outros colegas brilhantes abordaram esses problemas de maneira um pouco diferente. Reconhecemos seus *insights* e esperamos haver complementado seus trabalhos. Ao realizar a transformação, vemos o RH no palco central enquanto as organizações enfrentam mudanças jamais enfrentadas. Somos defensores da profissão e dos líderes que fazem acontecer. Esperamos que este trabalho continue ajudando a fazer do RH a fonte essencial para soluções estratégicas.

Dave Ulrich
Justin Allen
Wayne Brockbank
Jon Younger
Mark Nyman

SUMÁRIO

I UM MANUAL PARA A TRANSFORMAÇÃO DO RH

Capítulo 1 Introdução à transformação do RH 15

Fase 1 CONTEXTO DO NEGÓCIO

Capítulo 2 Por que fazer a transformação? 27

Fase 2 RESULTADOS

Capítulo 3 Quais são os resultados da transformação do RH? 45

Fase 3 REDESENHO DO RH

Capítulo 4 Redesenhe o departamento de RH 67
Capítulo 5 Como fazer a transformação? 91
Capítulo 6 Invista nos profissionais de RH 113

Fase 4 RESPONSABILIDADE DO RH

Capítulo 7 Compartilhe a responsabilidade pela transformação 137
Capítulo 8 Fazendo acontecer 155

II HISTÓRIAS DAS TRINCHEIRAS: ESTUDOS DE CASOS DE TRANSFORMAÇÃO

Capítulo 9   Flextronics: Construindo uma organização estratégica de RH a partir do zero **181**

Capítulo 10   Pfizer: Uma jornada em busca do menor, melhor e mais rápido **193**

Capítulo 11   Intel: Balançando o pêndulo do tático para o estratégico **209**

Capítulo 12   Takeda North America: Criando capacitações em uma subsidiária de crescimento acelerado.. **221**

Anexo: Conjunto de ferramentas para a transformação do RH **229**

Referências e leituras recomendadas..**235**

Índice...**241**

Os autores **247**

Os colaboradores **251**

UM MANUAL PARA A TRANSFORMAÇÃO DO RH

INTRODUÇÃO À TRANSFORMAÇÃO DO RH

Há alguns anos, nos reunimos com uma dezena de executivos de recursos humanos e colegas acadêmicos para conversar sobre como os departamentos de RH deveriam responder aos desafios de um ambiente de negócio desafiador e em constante mudança. Escutamos enquanto os executivos descreviam os desafios enfrentados e como haviam mudado sua maneira de trabalhar. Como nossos colegas acadêmicos lutavam para conceituar a teoria para estudar os novos processos, percebemos que havíamos participado, direta ou indiretamente, na transformação do RH com quase todos esses executivos e com outros, em uma ampla gama de setores. Em muitos casos, havíamos observado em primeira mão seus esforços. Havíamos ajudado na descoberta de maneiras de remodelar o RH para atender a essas crescentes expectativas. Aprendemos com eles o que funcionava e o que não funcionava. Resumindo, tivemos o privilégio de trabalhar juntos para desenvolver a teoria implícita, a lógica e os processos da transformação do RH.

Fontes (de onde vem este livro)

Este livro sintetiza e resume as lições que aprendemos sobre a transformação do RH. Não aprendemos sozinhos, mas no trabalho com executivos de RH inteligentes e inovadores que ajudaram suas organizações e a profissão a ter um significativo progresso. Aprendemos essas lições tanto com os sucessos – nos quais a transformação agrega valor – como com os fracassos. Esperamos que este livro abranja tanto a teoria (ideias, lógica e abordagens) como a prática (ferramentas, processos e ações) para a criação de uma transformação do RH bem-sucedida. A teoria da transformação se origina de literatura encontrada na sociologia, psicologia, antropologia, desenvolvimento organizacional, teoria de sistemas, equipes de alta *performance* e economia. Essas disciplinas ensinam maneiras de abordar mudanças pessoais e de grande escala. A teoria e a prática da transformação vêm da aplicação dessas ideias em dezenas de organizações. A teoria sem prática é conjectura e, geralmente, irrelevante. A prática sem teoria é idiossincrática e insustentável. Esperamos combinar a teoria e a prática para que os responsáveis ou afetados pela transformação do RH possam ter um progresso sustentável.

Público-alvo (quem deve ler este livro)

Profissionais de RH: as ideias e ferramentas neste livro têm como alvo principal profissionais de RH. Altos executivos de recursos humanos enfrentam a crescente responsabilidade de garantir que as práticas e funções de RH se alinhem e ativem os resultados do negócio. Para cumprir o papel de líder de RH, precisam ser participantes ativos no processo de estabelecimento de estratégias empresariais. Assim, podem definir o rumo da transformação, projetar um processo que se concentre nos resultados do RH, comprometer as pessoas, agir para assegurar que a transformação aconteça e certificar-se de que dure. Os profissionais de RH também devem estar cientes dos princípios da transformação do RH. Aqueles que continuamente reclamam de falta de acesso aos líderes de negócio nunca o obterão. Por outro lado, os profissionais de RH que entendem e implementam os princípios da transformação que apresentamos ficarão numa posição muito melhor para agregar valor significativo.

Gerentes de área: O segundo público importante para este livro são os gerentes de área. Encontramos um crescente número de gerentes de área que acreditam que assuntos como talento, desenvolvimento da capacitação organizacional, execução estratégica e liderança são as chaves para o sucesso do seu negócio. Cada vez mais eles buscam no RH uma liderança competente, recomendações inteligentes e processos práticos para esses assuntos. Quando e se eles entenderem os princípios da transformação do RH, poderão ter mais confiança de que o RH agregará valor ao sucesso do negócio e que irá ajudá-los a atingir seus objetivos.

Equipe de trabalho: um terceiro público para este livro é constituído por profissionais e líderes de outras funções, inclusive de tecnologia da informação, finanças e jurídico que, como os do RH, são desafiados a agregar valor. Acreditamos que os princípios de transformação do RH podem ser facilmente adaptados a essas funções, de modo que esses profissionais também podem transformar, com êxito, os processos e práticas atuais para enfrentar os desafios de um ambiente cada vez mais difícil.

Perspectiva (por que nossa abordagem é diferente)

Uma transformação do RH bem-sucedida aumenta o valor que os recursos humanos agregam à empresa. Esta é uma declaração simples e que é muito fácil de encobrir, mas ela reflete uma abordagem para a transformação que nem sempre é praticada. Nos *workshops* com profissionais de RH, geralmente começamos com a seguinte pergunta: "Qual é o maior desafio que você enfrenta em seu trabalho hoje?" Enquanto passamos a roda, os desafios variam desde melhorar as práticas de RH (contratação de pessoas, treinamento de líderes, criação de incentivos) até o relacionamento com os líderes de negócios (ser ouvido na discussão, conquistar comprometimento) e a administração das crescentes exigências do trabalho de RH (gestão do tempo, sentimento de opressão por ter muito a fazer). Quando vemos cabeças acenando em concordância com os desafios inevitáveis e óbvios que os profissionais de RH enfrentam, dizemos que essas respostas estão erradas. Segue-se o silêncio.

Em poucas palavras, entendemos que atualmente o maior desafio para os profissionais de RH é ajudar suas respectivas organizações a ter sucesso.

Nas empresas, ter sucesso pode significar redução de custos, aumento da participação no mercado, crescimento nos mercados globais, ou a inovação com produtos ou serviços. Nas agências governamentais ou organizações sem fins lucrativos, pode significar prestação de serviços, alcance de metas impostas externamente, atendimento das necessidades do cliente, ou trabalho com orçamentos reduzidos. Nossa opinião é que os profissionais de RH geralmente se concentram na função do RH internamente em vez de se concentrarem externamente, no que os clientes e investidores precisam receber do RH. Se os profissionais de RH devem trabalhar como verdadeiros parceiros, seus objetivos precisam ser os objetivos do negócio. A transformação dos profissionais de RH em parceiros não é um fim em si mesmo, mas é o *meio* para um final estratégico, orientado ao negócio. É claro, as atividades do RH são importantes – reconhecemos que, quando dizemos que está errado focar nas atividades de RH, exageramos para provar nosso ponto de vista.

Nossa opinião é que o RH deve começar de fora para dentro. Devemos nos preocupar tanto com os resultados de nossas atividades quanto com as próprias atividades. Assim, pedimos que as pessoas acrescentem três palavras simples – *de modo que* – ao seu maior desafio no trabalho. A questão "de modo que" muda o foco do que fazemos para o que transmitimos, das atividades que desempenhamos para o valor criado por essas atividades.

Igualmente, uma transformação do RH deveria começar com uma perfeita compreensão do contexto do negócio, porque o ambiente em que você faz o negócio oferece a lógica para a transformação do RH. A lógica básica de oferta e procura determina que, se o fornecimento de qualquer produto ou serviço for alto, mas a procura for zero, seu valor é zero. Se o que fazemos internamente não cria valor externamente, não aumenta a capacidade da empresa de atrair, atender e manter os clientes e investidores, seu valor é zero.

Esta lógica tem muitas implicações práticas. Por exemplo, muitos líderes de RH que estão começando uma transformação do RH fazem uma reunião geral para dividir visões e objetivos sobre a nova organização do setor. Sugerimos enfaticamente que esse evento comece com uma discussão detalhada sobre a empresa. Por exemplo, um novo chefe de RH na indústria de aviação gastou suas duas primeiras horas revisando gastos com combustíveis, tamanho das cargas, índices de satisfação dos clientes, mudanças regulatórias, tempo útil dos equipamentos e posicionamento competitivo. Ao nos sentarmos na parte de trás da sala de reuniões, ouvimos vários profissionais de RH sussurrando uns aos outros: "Quando é que vai chegar a parte do RH?" Na verdade, o chefe estava definido a agenda de transformação do RH ao se concentrar primeiro na empresa. Em reuniões mensais de pessoal, em reuniões de desempenho e em conversas casuais nos corredores, isto manda uma mensagem: transformação do RH não trata do RH; trata de construir o sucesso da empresa.

Armadilhas comuns (detalhes que devem ser observados)

Com foco no sucesso do negócio, é mais fácil identificar alguns erros previsíveis e comuns ao dar início à uma transformação do RH:

- *Ação antes da lógica*. Algumas empresas começam uma transformação do RH fazendo certas coisas, como a implementação do e-RH, a reestruturação da função ou o projeto de novas práticas. Esses investimentos em RH são, então, chamados de transformacionais. Mas, se essas ações não forem conectadas a uma lógica do negócio e consolidadas no seu contexto, elas não são transformacionais e provavelmente não se manterão. A transformação do RH necessita estar consolidada no contexto das necessidades do negócio.
- *O RH isolado*. Em determinada empresa, trabalhamos com líderes de RH que haviam reservado um tempo em julho (a época mais calma para o RH) e elaborado uma estratégia sobre o que o departamento estava fazendo e que práticas seriam desenvolvidas. Enquanto isso, os gerentes de área elaboraram uma estratégia no outono para se concentrar no próximo ano. O resultado foi um grande fracasso. Quando uma estratégia de RH é elaborada sem contato com a estratégia do negócio, ambas passam como documentos independentes que provavelmente não se sustentarão. A transformação do RH precisa estar alinhada com a transformação do negócio. Precisa ser feita de modo que se concentre em agregar valor ao negócio, em vez de simplesmente otimizar o RH como uma função.
- *RH em incrementos*. Algumas empresas planejam administrações de talento, gestões de desempenho e processos de recompensas inovadoras e chamam isso de transformação do RH. Esses esforços isolados são apenas parte de uma transformação do RH. Se quiserem ter valor duradouro, as práticas de RH precisam estar integradas umas com as outras em torno de resultados-chave dos negócios.
- *RH por decreto individual*. Algumas empresas investem em uma transformação do RH por capricho de um determinado líder ou desejo de mais influência pessoal ou funcional. Essas iniciativas patrocinadas in-

dividualmente têm grandes chances de não serem transformacionais. A transformação do RH necessita estar conectada ao sucesso da organização como um todo, e não apenas a um campeão individual.
- *Colocando a estrutura de RH antes da estratégia do negócio.* Às vezes, os departamentos de RH acreditam que a reorganização dos recursos humanos seja a essência da transformação. Eles podem passar muito tempo estabelecendo centros de serviço e centros de *expertise*, ou contratando um grupo de parceiros de negócio, e declarando que, dessa forma, transformaram o RH. A transformação do RH só será completa quando ajudar a implementar a estratégia organizacional e levar a resultados organizacionais.
- *Eficiência igual a transformação.* Cada vez mais, encontramos departamentos de RH que comparam as melhorias na eficiência com a transformação do RH; por exemplo, uma importante indústria farmacêutica anunciou recentemente que a criação de seu centro de serviço compartilhado representava uma transformação. Uma empresa líder em produtos de consumo descreveu o autoatendimento como sua transformação do RH. As melhorias na eficiência podem ser, e geralmente são, elementos-chave da transformação, mas só a eficiência não faz a mudança transformacional.

A isso damos o nome de viroses desgovernadas, porque infectam e podem enfraquecer o processo de transformação. Quando identificadas e enfrentadas, elas podem ser tratadas e superadas.

FERRAMENTA 1.1	*Lista completa de viroses*
	Em nosso trabalho de gestão de mudança, identificamos mais de 30 viroses comuns – razões frequentes pelas quais a mudança não ocorre como o esperado. Faça o *download* de toda a lista das viroses organizacionais e saiba mais sobre como combatê-las.
	▶ *Acesse www.TransformHR.com*

Nossa definição de transformação do RH

Uma verdadeira transformação do RH é uma abordagem integrada, alinhada, inovadora e focada no negócio, para redefinir como o trabalho do RH é feito, no sentido de ajudar a organização a difundir as promessas feitas a clientes, investidores e outros *stakeholders*. Este trabalho começa sendo muito claro sobre a lógica para fazer a transformação do RH. A lógica para a transformação do RH vem quase sempre de dentro da empresa (isto é, quando um líder sênior reclama sobre as práticas, estrutura e pessoas do RH), mas deveria vir de fora.

Um modelo para transformar o RH

Para garantir que o RH gere êxito empresarial e evite os perigos comuns de tais esforços, sugerimos um modelo de quatro fases para a sua transformação. Esse modelo (ver Figura 1.1) trata de quatro questões simples sobre a transformação do RH:

- Fase 1: Crie o *business case*. (Por que fazer a transformação?) A transformação do RH começa com uma lógica clara da sua importância. Isso é tratado no Capítulo 2, em termos de conhecer o contexto do negócio e criar um caso para mudança.
- Fase 2: Defina os resultados. (Quais os resultados da transformação?) Esta fase explica os resultados esperados da transformação. O que deve acontecer se investirmos na transformação do RH? As respostas a esta pergunta estão no Capítulo 3, que define os resultados da transformação do RH como as capacitações de uma empresa ou os intangíveis valorizados pelo investidor.
- Fase 3: Redesenhe o RH. (Como fazemos a transformação do RH?) A transformação do RH exige uma mudança na estratégia do RH nos departamentos, nas práticas e nas pessoas. Os Capítulos 4, 5 e 6 focam na maneira de mudar departamentos, pessoas e práticas do RH.
- Fase 4: Comprometa os gerentes de área e outros membros da equipe. (Quem deve fazer parte da transformação do RH?) A transformação do RH exige que muitas pessoas participem da definição e execução da

transformação. No Capítulo 7, examinamos quem está envolvido. Esse capítulo foca na transferência da propriedade para os gerentes de área e nas estratégias para capacitar o RH a realizar uma mudança sustentável.

Finalmente, no Capítulo 8, resumimos essas fases com um conjunto de marcos, cada um deles com resultados e atividades que podem ser desenvolvidos para realizar a transformação com sucesso.

Apesar de relacionarmos essas quatro fases em sequência, na realidade, elas acontecem simultaneamente. Por exemplo, ainda que o conhecimento das condições do negócio tenha que compor a transformação do RH (fase 1) é indispensável ter a equipe certa para a transformação (fase 4). A formação dessa equipe é fundamental para todo o processo.

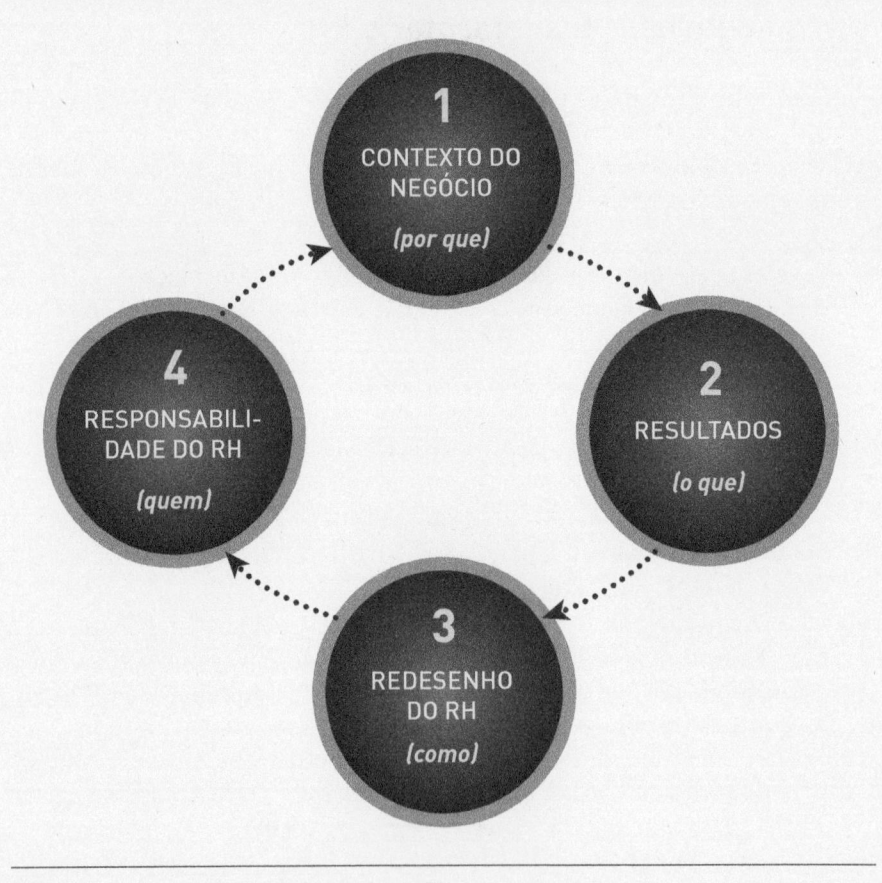

Figura 1.1 *Modelo para transformação do RH.*

Nossa recomendação para o uso deste modelo é que ele deve ser adaptado e não adotado. Acreditamos que os assuntos que surgem em cada um dos quatro passos são importantes e devem ser considerados de modo a fazer sentido para sua organização. É muito perigoso simplesmente adotar um modelo em vez de adaptá-lo, independentemente de sua fonte, quer seja um concorrente bem-sucedido, um acadêmico ou um consultor. Como você adaptaria esses passos à sua situação? Como você prepararia um prato que lhe agradasse? Como você improvisaria baseado na receita? Este livro oferece algumas receitas para a transformação do RH. Para fazer com que ela funcione em sua organização, você terá que adaptar esses ingredientes e improvisar sua própria receita. O Capítulo 8 mostra como fazer isso.

Para detalhar os princípios e ferramentas para a transformação do RH, dividimos este livro em duas partes. Na Parte I, mostramos o Modelo de Transformação em quatro passos e apresentamos os princípios e as ferramentas de como projetar e fazer a transformação do RH.

A Parte II inclui quatro estudos de caso de organizações que passaram recentemente por processos de transformação. Elas fornecem exemplos de como combinaram diferentes ingredientes de transformação para alcançar resultados que causaram impacto em suas organizações. O Capítulo 9 apresenta a transformação do RH na Flextronics; o Capítulo 10 analisa a Pfizer; o Capítulo 11, a Intel; e o Capitulo 12, a Takeda. Agradecemos a essas organizações por compartilhar conosco suas experiências e conhecimento.

Esperamos que esses estudos de caso ajudem a inspirar as teorias e os passos descritos na Parte I e proporcionem aos leitores a percepção do que pode ser alcançado em suas próprias organizações.

Ferramentas para a transformação

Mantendo os objetivos das Séries de Liderança do RH, fornecemos no Anexo algumas ferramentas para apoiá-los no desenho do caminho de transformação do RH em sua organização. Também fornecemos uma pequena e seleta lista de livros e artigos que podem ser úteis para você e sua equipe no planejamento da transformação. Você também irá encontrar biografias de todos os colaboradores que ajudaram a fazer deste livro um sucesso.

FERRAMENTA 1.2	*Visão geral do modelo de transformação do RH*
▶	Veja um vídeo de Dave Ulrich apresentando o modelo de transformação do RH. Veja como ele transformou sua teoria em realidade com exemplos de como as empresas implementaram cada fase de seu modelo.
	▶ *Acesse www.TransformHR.com*

Fase: 1
CONTEXTO DO NEGÓCIO

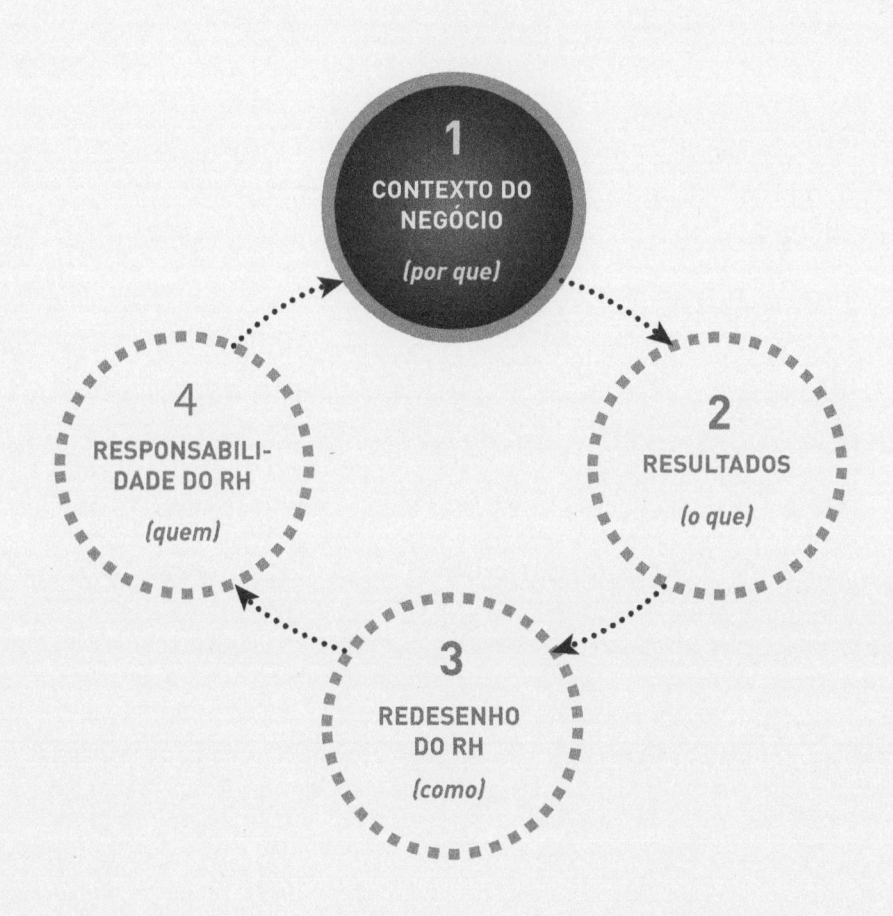

1
CONTEXTO DO NEGÓCIO
(por que)

4
RESPONSABILIDADE DO RH
(quem)

2
RESULTADOS
(o que)

3
REDESENHO DO RH
(como)

POR QUE FAZER A TRANSFORMAÇÃO?

2

Quando as pessoas entendem as razões da mudança, ficam mais propensas a aceitá-la. Este princípio simples é ensinado por uma gama de especialistas em mudanças, desde o mais acadêmico dos psicólogos cognitivos até os mais populares gurus de autoajuda. Isso se aplica não apenas às mudanças pessoais (exercício, perda de peso, administração da raiva), mas também à transformação do RH. Quando entendemos perfeitamente porque devemos mudar um comportamento pessoal, por exemplo, nos comprometemos mais com a mudança. O ambiente empresarial captura as razões da transformação do RH. Quando ela se conecta com o contexto do negócio, é mais provável que se sustente, porque responde às necessidades reais. Isso significa unir os esforços do RH diretamente com a estratégia do negócio e os fatores ambientais que moldam a estratégia.

Portanto, começamos analisando as condições do negócio e as expectativas dos *stakeholders*. Entretanto, antes de se envolver, identifique seu grau de disponibilidade para a transformação do RH preenchendo a avaliação que está na próxima página.

FERRAMENTA 2.1 — *Avaliação da estratégia de RH*

Com que frequência isso acontece em sua organização?

1 = quase nunca
3 = algumas vezes
5 = quase sempre

Com que frequência as afirmações abaixo são verdadeiras em sua organização?

Fase 1: *Business case* para transformação (Capítulo 2)

1. Todos os profissionais de RH conhecem muito bem o negócio, nossos concorrentes e o ambiente de negócios externo. ① ② ③ ④ ⑤
2. Adotamos uma abordagem para as prioridades do trabalho do RH de fora para dentro, baseados nas expectativas do *stakeholder* externo (cliente, investidor, regulador, etc.). ① ② ③ ④ ⑤

Fase 2: Defina os resultados (Capítulo 3)

3. Nossa organização está claramente capacitada a garantir a execução da estratégia. ① ② ③ ④ ⑤
4. Os líderes de RH focam nos resultados do negócio (oferecendo capacitações organizacionais), e não nas atividades. ① ② ③ ④ ⑤
5. O RH contribui de forma mensurável para o valor intangível do investidor e a reputação da marca do cliente da organização. ① ② ③ ④ ⑤

Fase 3a: Desenho do departamento de RH (Capítulo 4)

6. Todo o nosso departamento de RH entende nossa estratégia de RH e pode explicar como seu trabalho se vincula à estratégia. ① ② ③ ④ ⑤
7. Nossa organização de RH distingue claramente o trabalho transacional e estratégico do RH. ① ② ③ ④ ⑤
8. O RH está adequadamente dimensionado (equipe, custos) para as exigências da organização. ① ② ③ ④ ⑤

Fase 3b: Desenho das práticas de RH (Capítulo 5)

9. Temos pessoas firmes, desempenho, informação e processos de trabalho que estão diretamente ligados aos resultados organizacionais estratégicos. ① ② ③ ④ ⑤
10. Nossos processos de RH estão integrados de forma eficaz, isto é, o que fazemos na gestão de talentos é reforçado por nossas práticas de remuneração. ① ② ③ ④ ⑤
11. Além de tudo, os processos de RH estão eficientemente alinhados com nossas estratégias de negócio. ① ② ③ ④ ⑤

Fase 3c: Atualize os profissionais de RH (Capítulo 6)

12. Definimos claramente as competências, papéis e atividades do RH que estão diretamente ligados ao sucesso do negócio. ① ② ③ ④ ⑤

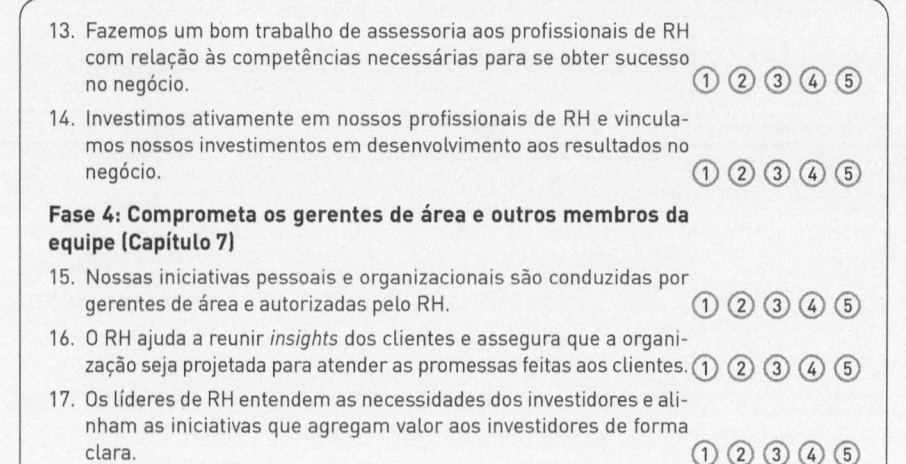

13. Fazemos um bom trabalho de assessoria aos profissionais de RH com relação às competências necessárias para se obter sucesso no negócio. ① ② ③ ④ ⑤
14. Investimos ativamente em nossos profissionais de RH e vinculamos nossos investimentos em desenvolvimento aos resultados no negócio. ① ② ③ ④ ⑤

Fase 4: Comprometa os gerentes de área e outros membros da equipe (Capítulo 7)

15. Nossas iniciativas pessoais e organizacionais são conduzidas por gerentes de área e autorizadas pelo RH. ① ② ③ ④ ⑤
16. O RH ajuda a reunir *insights* dos clientes e assegura que a organização seja projetada para atender as promessas feitas aos clientes. ① ② ③ ④ ⑤
17. Os líderes de RH entendem as necessidades dos investidores e alinham as iniciativas que agregam valor aos investidores de forma clara. ① ② ③ ④ ⑤

Se sua pontuação for maior do que 80, você já transformou em grande parte sua organização de RH. Parabéns! Utilize este livro para identificar maneiras para melhorar sempre.

Se sua pontuação estiver entre 50 e 80, você tem uma grande oportunidade de melhorar a contribuição do RH por meio de um esforço de transformação focado e bem organizado. Utilize este livro para criar e implementar seu plano.

Se sua pontuação for menor que 50 é importante que você comece a trabalhar imediatamente na transformação do RH. Utilize este livro para criar e implementar seu plano.

FERRAMENTA 2.2	*Preparando a transformação do RH*
▶	Aprenda com Jon Younger enquanto ele descreve como criar as condições de que você necessita para começar uma transformação de RH bem sucedida e mostra melhores práticas na preparação da transformação do RH. Compartilhe este vídeo com sua equipe durante a reunião de lançamento da transformação.
	▶ Acesse www.TransformHR.com

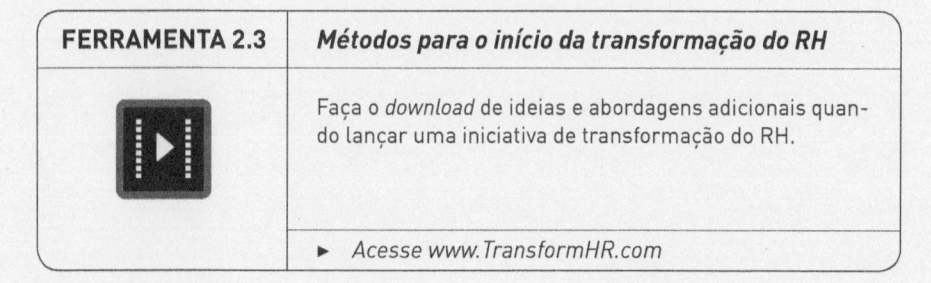

FERRAMENTA 2.3	*Métodos para o início da transformação do RH*
▶	Faça o *download* de ideias e abordagens adicionais quando lançar uma iniciativa de transformação do RH.
	▶ Acesse www.TransformHR.com

Entenda as condições do negócio e as expectativas dos *stakeholders*

Como somos dedicados defensores do alinhamento dos recursos humanos com a estratégia de negócios, recomendamos que os líderes de RH observem não só a estratégia do negócio, mas também o conjunto da estratégia para ver e entender as condições de negócios, ou as realidades externas que a moldam. A estratégia tradicional é como um espelho no qual o RH pode refletir seu investimento. Recomendamos olhar para os clientes externos e investidores pelo espelho (estratégia) para entender bem os antecedentes da estratégia. Compreender e conectar o RH com esses componentes contextuais ajuda não apenas a implementar a estratégia, mas a ter uma função na sua definição. Ao focar o contexto do negócio, o RH pode evitar o erro comum de tentar implementar internamente ideias e conceitos concentrados que surgem como soluções em busca de problemas. Para criar essa lógica a fim de fazer a transformação do RH, você precisa entender as condições gerais do negócio e as expectativas específicas dos *stakeholders*, e então usar esse conhecimento para criar um *business case* para a transformação.

Condições gerais do negócio

A maioria de nós tem um conhecimento pequeno sobre as condições gerais do negócio, principalmente quando o mundo está enfrentando as maiores dificuldades econômicas da última década. Algumas dessas condições são cíclicas, pois as indústrias passam por inevitáveis momentos de crescimento e retração. As outras condições são mais estruturais e incluem mudanças fundamentais decorrentes da globalização, tecnologia, demografia e no cenário político. Desemprego, inflação, taxas de câmbio, balança comercial, confiança do investidor e crédito exagerado criam ciclos econômicos e mudanças estruturais em uma indústria, afetando os investimentos no RH e na estratégia de gestão.

A globalização tornou o mundo "plano" – uma aldeia global com novos mercados oferecendo novos desafios e oportunidades. Ao mesmo tempo, os negócios nos mercados maduros diferem dos negócios nos mercados em desenvolvimento, como o Brasil, a Rússia, a Índia e a China, e se diferenciam ainda mais do que é preciso para os assim chamados mercados emergentes na África Subsaariana, no Oriente Médio, no sudeste da Ásia e na America Latina. Esses mercados têm ciclos econômicos divergentes, sendo que a maioria cresce enquanto outros encolhem. Questões globais também envolvem preço de *commodities* e custos de energia volátil, barreiras comerciais, taxas de câmbio, tarifas e distribuição. A tecnologia aumentou a acessibilidade, a visibilidade e a conectividade. O mundo conectado está menor, está mudando rapidamente e tem informações mais abertas. A tecnologia se torna obsoleta rapidamente enquanto que meia-vida do conhecimento encolhe. As tendências demográficas exigem que os locais de trabalho sejam capazes de responder não só aos atuais funcionários, mas aos futuros funcionários e clientes. A criação de uma mão de obra que se adapte às diferenças de sexo, de geração e de etnias ajuda as organizações a sobreviver ao longo do tempo. E a incerteza política pode atrapalhar investimentos pela falta de confiança na estabilidade social. As mudanças políticas afetam não apenas a confiança do consumidor, mas as oportunidades e os desafios organizacionais.

Estas e outras condições gerais têm efeitos indiretos, mas reais, na maneira como são formadas e comunicadas as estratégias de negócio. E, assim como Anita McGahan e Michael Porter, outros analistas mostraram que essas condições gerais de negócio respondem por cerca de 50% do desempenho organizacional. Essas condições estão fora do controle de qualquer líder, mas ainda assim moldam o contexto onde o trabalho é feito.

Os profissionais de RH que querem contribuir com a formulação de uma estratégia e sustentar uma transformação deveriam ser mais do que observadores eventuais dessas tendências. Não é preciso ser um economista, demógrafo ou cientista político para fazer a transformação do RH, mas é importante ser conhecedor dessas áreas. Conhecer essas condições gerais de negócio exige mais do que uma leitura descontraída de jornais ou de notícias na Internet ou do que assistir a televisão. Significa entender totalmente quem são os clientes e por que eles compram, por que os investidores decidem investir ou reter fundos, como funcionam os mercados, bem como as tendências demográficas nos mercados importantes, as forças tecnológicas que sua organização enfrenta, e as escolhas políticas que podem afetar sua organização. Isso significa reuniões com especialistas de dentro de sua empresa e perguntas exploratórias, leitura de artigos e livros que o ajudem a entender as condições atuais do negócio e participação em *workshops* em que esses assuntos são discutidos. Recomendamos que os profissionais de RH passem uma hora ou duas por semana lendo ou fazendo pesquisas básicas na Internet sobre os fatores gerais que moldam a economia e sua indústria.

Além de pesquisas pessoais e um trabalho de autodidata, também reconhecemos que os departamentos de RH com uma tendência corporativa são excelentes no fornecimento de ferramentas e processos para manter toda a equipe em contato com as condições básicas de negócios. Por exemplo, no Capítulo 1, contamos a história de um chefe de RH de uma companhia aérea global que passava algum tempo com sua equipe de RH falando sobre as tendências do setor aéreo. O RH da Kellogg começa suas reuniões trimestrais com as equipes globais de liderança de RH com uma análise do desempenho da empresa e do que está acontecendo no mercado. A equipe de RH de Saint Gobain no Pacífico Asiático compartilha a inteligência fundamental dos negócios por todos os seus mercados – da China à Austrália.

Expectativas específicas dos *stakeholders*

De modo mais direto, o contexto de negócios pode ser definido em termos dos *stakeholders* para os quais a empresa precisa responder. Quando falamos para grupos de RH, geralmente perguntamos: "Quem são seus clientes?" Inevitavelmente, 70% a 80% respondem que os clientes do RH são os funcionários e que o RH deveria criar práticas para melhorar a competência e o comprometimento deles. Isso faz sentido, mas é apenas parcialmente correto. Ao mesmo tempo em que concordamos que os funcionários são *stakeholders* importantes do trabalho do RH, eles não são os únicos. Um modelo mais completo de RH inclui múltiplos *stakeholders* – funcionários e gerentes de área dentro da organização, e clientes, investidores, reguladores, concorrentes e comunidades fora da organização. Para entender completamente as condições de negócio específicas para sua organização e para a transformação do RH, você deve identificar as expectativas e mudanças particulares para cada um desses *stakeholders*. As condições gerais de negócio ficam mais concentradas quando elas se transformam em expectativas específicas dos principais *stakeholders*.

Funcionários

A demografia dos funcionários tem um impacto significativo no trabalho. Os funcionários trazem consigo vivências cada vez mais diversas, incluindo diferenças não apenas de raça e sexo, mas de preferências pessoais, raízes globais e culturais, estilo cognitivo, idade e orientação para o trabalho. Em seu trabalho no RH, você deveria estudar a demografia interna e externa de sua organização. Internamente, procure os padrões demográficos para verificar se as diferenças dos funcionários são estimuladas, encorajadas e alavancadas. Prepare seus gerentes para promover o alto desempenho das pessoas diferentes deles, e encoraje-os a rodear-se de pessoas que, apesar de diferentes, estão igualmente comprometidas com a empresa e com o desempenho pessoal. Externamente, verifique as tendências demográficas que afetam a maneira com que você irá buscar talentos no futuro. Invista, por exemplo, na qualidade da educação para futuros empregados, quer nos sistemas educacionais locais ou nas exigências dos trabalhos especializados de sua empresa. Explore fontes de talento alternativas (por exemplo, a contratação em meio expediente de pessoas mais velhas ou funcionários aposentados, a criação de relacionamentos com universidades de fora de seu mercado local ou a utilização de tecnologia para ter acesso a talentos de países distantes). Crie políticas e práticas em sua empresa que respondam às mudanças demográficas (por exemplo, ajudando os funcionários a usar a tecnologia para ficarem conectados ao seu trabalho e a grupos de relacionamento).

Gerentes de área

Os gerentes de área encarregados da definição e execução da estratégia para apresentar resultados constituem um grupo-chave de *stakeholders* para a transformação do RH. Uma década atrás, os profissionais de RH estavam clamando para "sentar à mesa" quando eram tomadas decisões importantes. Hoje, os profissionais de RH mais competentes têm acesso às discussões de negócio. Nos seminários, perguntamos: "Quantos de vocês poderiam conversar com seu gestor por 30 minutos, na próxima semana, se pedissem isso?" Noventa por cento responderam afirmativamente.

Assim, o RH está sentado à mesa. Agora surge o grande desafio: como contribuímos?

Se, nas discussões de negócio, os profissionais de RH esperam por "questões de RH" (quantidade e tipo de pessoas necessárias para um objetivo do negócio, tipo de sistema de recompensa, melhoria do planejamento organizacional), provavelmente irão esperar mais do que gostariam. Todas as funções desejam ter espaço e tempo à mesa; mas apenas aqueles que agregam valor são convidados a continuar. Com a crescente pressão sobre gerentes de área e a diminuição da autoridade do CEO, os profissionais de RH devem ser ativos colaboradores das decisões de negócio e não somente nas discussões de RH. Isso exige que o negócio seja pensado com os olhos de seu gerente: pelo que o gerente é responsável? O que está no *scorecard?* Quais os tópicos que são lembrados primeiro? Quais os problemas que não podem ser resolvidos com facilidade? Prever e trabalhar esses problemas ajuda um profissional de RH a agregar valor. Além disso, os profissionais de RH que contribuem têm opiniões próprias com relação à futura estratégia do negócio e muitas vezes compartilham suas ideias com seus gerentes de área.

Clientes

Os clientes se tornaram mais segmentados, cultos e exigentes. Como têm mais escolhas, se tornam mais seletivos na escolha de uma empresa. Seu trabalho no RH é identificar os clientes-alvo e descobrir porque eles fazem negócios com sua organização, e como você pode começar a criar ou recriar relacionamentos com antigos clientes. Os profissionais de RH que passam algum tempo analisando e trabalhando com os clientes têm uma clara visão das práticas de RH e da participação do cliente. Sugerimos que os profissionais de RH passem pelo menos um dia por trimestre junto com os representantes de vendas em contatos com o cliente. Ao visitar os clientes, eles devem se concentrar no valor que podem proporcionar, em vez de simplesmente participar da reunião como uma oportunidade de desenvolvimento para seu próprio crescimento.

Ao mesmo tempo em que as pessoas de vendas por vezes se concentram na venda de um determinado produto ou serviço, os profissionais de RH podem se concentrar na criação de um relacionamento. Os recursos humanos estão em uma posição única para ajudar a construir relacionamentos de longo prazo com os clientes, ao demonstrar que sua empresa está capacitada e tem o talento para atender as promessas das equipes de venda.

Os clientes que sabem que você irá contratar, treinar, pagar e organizar o trabalho para atender suas necessidades estão mais dispostos a consolidar um relacionamento duradouro. Ao obter os *insights* dos clientes pela análise de dados de *marketing* e conhecer clientes específicos ao passar algum tempo com eles, você fica sabendo como os investimentos de RH se conectam com essas necessidades.

Investidores

Os investidores estão cada vez mais sintonizados, preocupados tanto com os intangíveis como com os resultados financeiros. Os mercados de capitais mudaram. Participantes ativos em fundos *hedge,* em fundos soberanos e outros grandes acionistas vão cada vez mais examinar além dos balanços e buscar a qualidade da liderança e organização que lhes dá confiança no futuro. Os profissionais de RH que conhecem os objetivos dos investidores da empresa (crescimento *versus* valor; curto prazo *versus* longo prazo) podem criar práticas de RH que darão a esses investidores confiança no futuro. Os intangíveis são responsáveis por uma porção significativa do retorno total do acionista, e os profissionais de RH devem ter uma opinião sobre como definir e aumentar o valor intangível. Os profissionais de RH podem participar de reuniões para conhecer as expectativas do investidor e podem agir como apresentadores que ajudam os investidores a terem confiança no sucesso futuro. No livro *How Leaders Build Value,* mostramos que os passos principais para criar valor intangível incluem manter promessas, assegurar uma estratégia convincente, alinhar competências essenciais e capacitações organizacionais. Chamamos isto de "arquitetura dos intangíveis" e mostramos quatro itens intangíveis que os profissionais de RH devem dominar: atender compromissos atuais, esclarecer estratégias futuras, desenvolver competências essenciais e criar capacitações organizacionais.

Concorrentes

Os concorrentes são os grandes *players* globais e tradicionais e também os pequenos inovadores. A taxa de crescimento global continua, mas cada vez mais esse crescimento vem dos mercados emergentes. Conhecer os atuais e futuros concorrentes exige uma percepção de como as indústrias irão mudar e se desenvolver em uma escala global ou local.

O mapeamento dos concorrentes atuais e futuros, a análise de seu poder e de suas fraquezas e a organização de suas estratégias para superá-los ajudam a moldar as práticas de RH que irão diferenciar sua organização. Os profissionais de RH também podem liderar no *benchmarking* das capacitações organizacionais dos concorrentes no que diz respeito a talento, velocidade no mercado, inovação, atendimento ao cliente, eficiência e liderança, como maneira de sinalizar as ameaças do mercado ou as oportunidades.

Fornecedores globais

Os fornecedores da empresa se tornam uma fonte de vantagem ou desvantagem. A gestão dos fornecedores reduz o risco e assegura a continuidade do serviço. Do mesmo modo que o RH pode vincular aos clientes o grupo de trabalho, o treinamento e as recompensas, também pode fazer isso com os fornecedores para garantir a estabilidade das operações. O RH deve ser capaz de avaliar e ajudar a alavancar talentos individuais e capacitações organizacionais em todas as fases da cadeia de valor integrada. Além disso, as percepções do RH podem ajudar a desenvolver modos de estabilizar recursos importantes, pela formação de contratos de fornecimento estáveis e com custo reduzido.

Reguladores

As agências governamentais podem definir políticas que favoreçam ou impeçam o negócio. À medida que as políticas mudam de mais regulamentos para menos, e de volta para mais, você deve saber como essas tendências irão afetar a sua organização, não apenas na atração de talentos, mas para competir em novos mercados. Cada vez mais os regulamentos se concentram em processos de governança (Lei Sarbanes-Oxley, por exemplo) e os executivos de RH podem ser ativos na antecipação e na reação à legislação. Embora as legislações locais e nacionais continuem a aumentar, saiba também que muitas tarifas comerciais estão caindo, estimulando uma concorrência global maior e culturas corporativas mais competitivas.

Comunidade

A reputação também é importante quando a posição social de sua organização se torna parte de seu sucesso. Cada vez mais, as empresas são julgadas a partir do tripé de resultados e estimuladas a investir em sustentabilidade e a controlar a poluição e a se engajar em filantropia, oferecendo um retorno para as comunidades nas quais operam. Para isso, a organização deve criar a empregabilidade de sua mão de obra enquanto criam empregos para a população local e práticas de trabalho boas para os funcionários. Os profissionais de RH podem ser líderes no desenvolvimento de práticas socialmente responsáveis, que ajudam a organização a ganhar uma forte reputação na atração de talentos, clientes e capital.

Dirigindo-se aos stakeholders

Enquanto as organizações se posicionam com cada um desses *stakeholders*, os profissionais de RH devem moldar estratégias únicas para competir ao longo do tempo. Saber quem são os *stakeholders* da sua empresa e defender a maneira de lidar com eles irá garantir que você alinhe a transformação do RH com assuntos que interessam. O objetivo dessa transformação é assegurar que os *stakeholders* recebam valor de sua empresa. A criação de uma boa linha de visão entre a transformação do RH e seus *stakeholders* irá ajudá-lo criar o *business case* para transformação. Reiterando, a transformação do RH não é apenas o que você faz dentro do RH, é também o valor que suas ações irão criar para os principais *stakeholders*.

Essas condições gerais de negócio e as exigências de determinados *stakeholders* moldam uma estratégia da organização, e também definem por que você deveria fazer uma transformação do RH. O legado histórico do RH tem sido o de monitorar os termos e condições de trabalho por meio de relações industriais, depois projetar sistemas e práticas que definem como as pessoas são tratadas em uma organização. Com esta orientação, os profissionais de RH tinham poucas razões para serem mais do que eventuais observadores das tendências dos negócios gerais ou das expectativas específicas dos *stakeholders*. As gerações atuais e futuras de recursos humanos irão projetar e implementar transformações que devem unir os esforços do RH com as estratégias a fim de colocar a organização em seu contexto de negócio. A Figura 2.1 descreve o modelo que sugerimos.

Parte I – Um Manual para a Transformação do RH

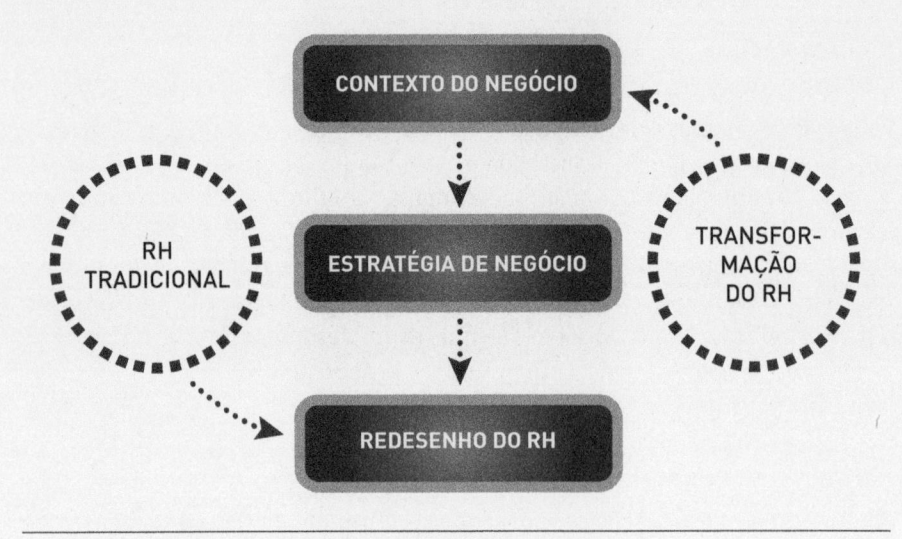

```
        CONTEXTO DO NEGÓCIO
                 ↓
  RH        ESTRATÉGIA         TRANSFOR-
TRADICIONAL  DE NEGÓCIO        MAÇÃO
                                DO RH
                 ↓
         REDESENHO DO RH
```

Figura 2.1   *RH tradicional* versus *transformador.*

O RH tradicional começa focando as questões de RH e redesenhando a governança ou as práticas do RH. A transformação do RH começa com um entendimento do contexto no qual o negócio atua (condições gerais e determinados *stakeholders*). Este contexto fornece a lógica pela qual a transformação do RH deveria acontecer.

FERRAMENTA 2.4	*Análise do* stakeholder
	Seja bastante claro para assegurar que as expectativas e necessidades de seu *stakeholder* sejam tratadas no início e estejam incorporadas em tudo que você faz em meio à transformação do RH. Faça o *download* e imprima as Fichas de Análise do *Stakeholder*. Faça com que toda a sua equipe preencha a ficha, depois dê prioridade para as necessidades do *stakeholder*.
	▶ *Acesse www.TransformHR.com*

FERRAMENTA 2.5	Ambiente externo
▶	O entendimento das complexidades do seu ambiente externo é fundamental para uma transformação sustentável do RH. Veja a explicação de Wayne Brockbank sobre o impacto do ambiente externo em uma transformação bem-sucedida.
	▶ Acesse www.TransformHR.com

Crie um *business case* para transformação de RH

Como dissemos no primeiro capítulo, muitos profissionais de RH definem que seu maior desafio é fazer o RH funcionar melhor. Os profissionais de RH geralmente encaram como grandes desafios a busca de talentos, a melhoria da gestão de desempenho, a definição das remunerações e de programas de treinamento e outros sistemas de RH. *Sugerimos que a transformação real comece pelas respostas às condições gerais do negócio e principalmente por atender os principais* stakeholders. Quando os profissionais de RH começam a pensar nos resultados de seu trabalho como definido pelo contexto do negócio, eles mudam sua conversa com os gerentes de área e são mais capazes de justificar por que deve acontecer uma transformação do RH.

As implicações desta abordagem aparecem na reunião em que a transformação do RH é sugerida. Nessa reunião, quer seja com um gerente de área ou com uma equipe executiva, a pergunta inevitável irá surgir: por que estamos fazendo este trabalho de transformação? Como observado, muitos líderes de RH irão responder a partir de uma perspectiva interna: para construir melhor talento, recompensas, estruturas ou práticas de comunicação. Entretanto, quando esses resultados estão vinculados ao contexto do negócio, a justificativa para a transformação do RH é mais forte. Os seguintes casos ilustram o *business case* para a transformação do RH:

- *Exemplo 1*: Nossos concorrentes alcançaram receitas 30% maiores do que as nossas com produtos lançados nos últimos três anos e acreditamos que essa é uma das razões pelas quais suas relações preço/lucro e valor de mercado sejam maiores do que as nossas. Acreditamos que, se transformarmos o RH, seremos capazes de agir mais rapidamente na aquisição do talento correto e na criação da organização certa para desenvolver produtos mais inovadores e criar uma melhor reputação nos mercados de capital.
- *Exemplo 2*: Vemos que grande parte do nosso crescimento futuro vem dos mercados emergentes. Entendemos que os mercados tradicionais norte-americanos e europeus para nossos produtos diminuíram, enquanto que os mercados da Ásia e Oriente Médio estão se expandindo rapidamente. Precisamos transformar nossos processos de RH para talento, desempenho e comunicação para que nos preparemos para entrar nesses mercados mais rapidamente do que nossos concorrentes – que reconhecem as mesmas tendências. O RH deveria nos proporcionar uma vantagem pioneira e rápida no desenvolvimento e na transmissão dessa estratégia global.
- *Exemplo 3*: Nossa base de clientes está mudando radicalmente. Há algum tempo, podíamos confiar nas conexões sociais de longo prazo para manter nossos clientes; hoje vemos que os possíveis clientes estão usando critérios financeiros mais rigorosos e preferem selecionar os fornecedores com base nos custos. Com novos concorrentes da China e da Índia capazes de explorar a vantagem de custo, precisamos transformar o RH a fim de encontrar maneiras de melhorar a produtividade da mão de obra, ao mesmo tempo em que mudamos nossa cultura para enfrentar os desafios desses clientes e as respostas dos concorrentes.
- *Exemplo 4*: O governo recentemente eleito deve alterar as regras da nossa indústria. Provavelmente iremos obter menos subsídios para nossa P&D e menos benefícios fiscais. Precisamos preparar nosso pessoal e nossa organização para reagir a essas mudanças. Precisamos mudar nossa abordagem de RH para adaptá-la a essas tendências.
- *Exemplo 5*: A força de trabalho para os mercados nos quais precisamos competir no futuro está encolhendo, especialmente nas posições especializadas, onde nos encontramos numa verdadeira batalha por talento. Para que possamos perseguir uma estratégia inovadora, precisamos buscar continuamente o principal talento nas áreas específicas. Entendemos que temos mais dificuldade do que nossos concorrentes em reter

os principais talentos em determinadas áreas e isso nos coloca em um risco competitivo. Precisamos transformar as práticas de RH para que possamos buscar, reter e alavancar nossos principais talentos.
- *Exemplo 6*: A idade de nossa força de trabalho é uma grande preocupação. Devido a antigas práticas de contratação, 40% de nossos talentos técnicos e gerenciais de alto escalão estarão prontos para a aposentadoria nos próximos quatro anos. Se eles decidirem se aposentar haverá uma enorme lacuna de conhecimento. Precisamos transformar rapidamente as práticas de RH sobre aposentadoria para garantir o conhecimento para nosso futuro e desenvolver práticas de equipe para estabilizar nossa força de trabalho.
- *Exemplo 7*: Nos últimos anos, crescemos rapidamente e 70% de nossos funcionários trabalham conosco há menos de cinco anos. A cultura incorporada que moldou esta empresa não é mais implicitamente compartilhada com essas novas contratações. Eles têm um talento técnico enorme, mas precisamos nos certificar de que eles também espelhem os valores da empresa. A transformação do RH ajudará a transferir nossa herança aos novos funcionários mais rapidamente e, ao mesmo tempo, permitirá que eles mostrem a funcionários antigos novas oportunidades que talvez não tenham percebido.
- *Exemplo 8*: Recentemente, perdemos mais licitações do que o normal para a concorrência. Ao analisar a razão da perda, percebemos que fomos lentos demais nas respostas às consultas dos clientes, incapazes de adequar as ofertas de nossos produtos e serviços, e demasiadamente complexos para negociar. Acreditamos que uma transformação no RH irá ajudar a simplificar nossa organização para que possamos alcançar um maior nível de sucesso nas licitações.

Esses tipos de discussão tiram muitas pessoas do RH de suas tradicionais zonas de conforto. Como líderes empresariais, elas devem aprender a entender e diagnosticar as configurações do contexto do negócio. Precisam compreender as condições econômicas gerais, as tendências específicas da indústria, as mudanças nos clientes e concorrentes, e os ambientes reguladores e tecnológicos. Precisam colocar a transformação do RH como uma resposta aos problemas de negócios reais e futuros. Para justificar a transformação, precisam utilizar dados e não intuição sobre as realidades externas. Precisam se associar ao *marketing*, finanças e outros grupos da equipe para obter informações que irão mostrar a lógica para a busca da transformação.

Além disso, ao criar a lógica para transformação, elas vão querer prestar atenção aos riscos de não fazê-la. Se a transformação não ocorrer, o que irá acontecer com sua capacidade de responder às condições gerais do negócio e às expectativas dos principais *stakeholders?* Elas também vão querer entender como a transformação do RH se alinha com outras iniciativas da empresa. Isso significa promover a transformação do RH como uma prioridade entre outras exigências competitivas.

Conclusão

Para conduzir a transformação sustentada, você precisa apresentar um *business case* case que justifique o investimento. Acreditamos que se o problema apresentado para a transformação do RH surge do contexto do negócio e das expectativas dos principais *stakeholders*, o caso para transformação é maior do que se o problema apresentado for originário inicialmente de dentro da empresa.

FERRAMENTA 2.6	*Planilha do* business case
	Faça o *download* de uma cópia da planilha do *business case*. Incentive todos os membros da equipe de transformação do RH a completar a planilha antes da reunião de desenvolvimento do *business case*.
	▶ *Acesse www.TransformHR.com*

FERRAMENTA 2.7	**Business case** *da transformação do RH*
	Veja Justin Allen descrever um processo para desenvolvimento de um *business case* de transformação e preste atenção quando ele mostra exemplos das equipes de transformação que, de maneira eficiente, comunicaram seu *business case* para Conselho de Administração, para a diretoria, para a equipe de liderança do RH e para os profissionais de RH em toda a organização.
	▶ *Acesse www.TransformHR.com*

Fase: 2
RESULTADOS

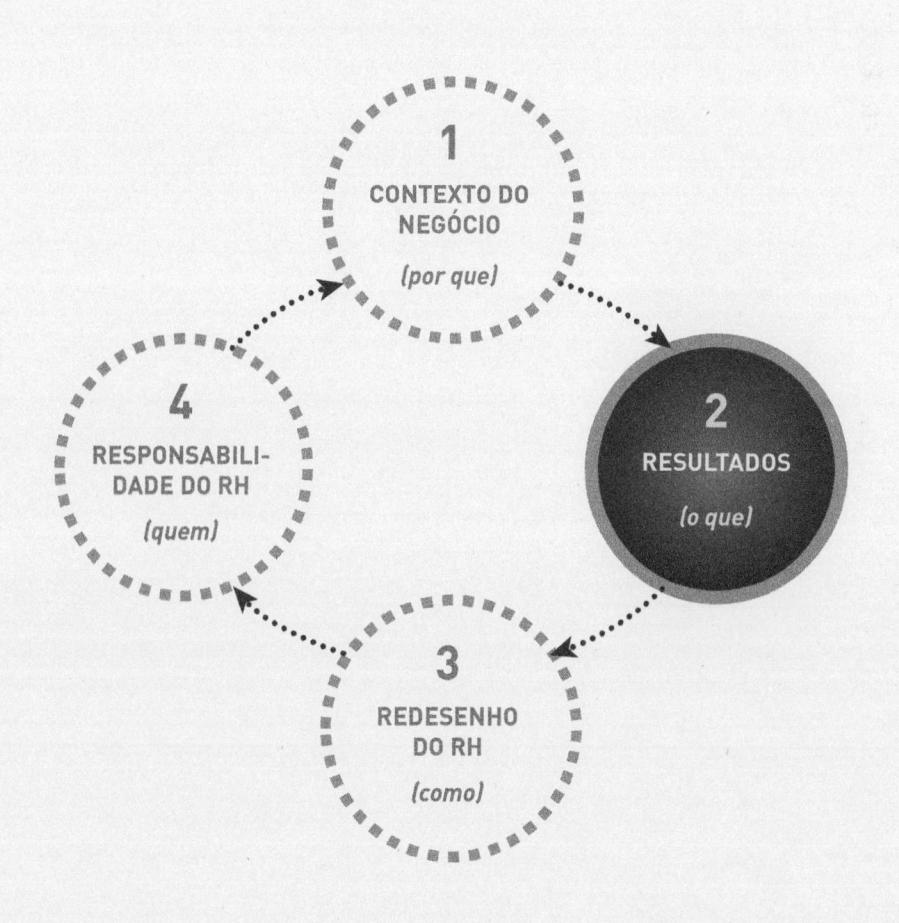

1 CONTEXTO DO NEGÓCIO *(por que)*

2 RESULTADOS *(o que)*

3 REDESENHO DO RH *(como)*

4 RESPONSABILIDADE DO RH *(quem)*

QUAIS SÃO OS RESULTADOS DA TRANSFORMAÇÃO DO RH? ③

A transformação do RH não é um evento único – é um novo padrão de pensamento e comportamento. Conforme analisado no Capítulo 2, a lógica para a transformação surge das condições gerais do negócio e da capacidade de aumentar o valor para determinados *stakeholders*. Depois de os líderes do negócio reconhecerem que a transformação do RH os ajudará a responder aos desafios do negócio, eles vão querer saber como medir o impacto da transformação.

A resposta tradicional é que você pode medir resultados quantitativos específicos das práticas de RH. Por exemplo:

- Quantas pessoas contratamos?
- Que percentagem de pessoas com baixo desempenho foi excluída da organização?
- Quantos funcionários completaram as necessárias 20 ou 40 horas de treinamento nos últimos anos?
- Quantas sessões de informação foram realizadas?

Mas se é só isso que você faz, não é suficiente. É importante avaliar a atividade dos recursos humanos, mas você também precisa avaliar o resultado ou o valor dessas atividades. A atividade de monitoramento não é a mesma coisa que monitoramento da transformação fundamental ou criação de valor.

Lembremos que a transformação do RH tem dois tipos de resultados. Primeiro, as expectativas do *stakeholder* identificadas no Capítulo 2 devem ser atendidas. A transformação deve desempenhar um papel significativo na determinação dos resultados para o *stakeholder*. Segundo, a transformação do RH pode ser observada em virtude das capacitações criadas pela organização.

Medidas dos *stakeholders*

No Capítulo 2, sugerimos que parte da especificação do contexto da organização é definir e distribuir de valor aos *stakeholders* internos e externos. Esse mapeamento ajuda a definir a importância da transformação do RH. Também fornece a base para a avaliação dos resultados. Depois de definir uma linha de visão entre as atividades de RH e o valor distribuído aos principais *stakeholders*, você precisa sugerir medidas simples e claras para capturar a extensão dos benefícios que as mudanças positivas proporcionam aos principais *stakeholders*. Vários resultados podem e devem ser percebidos pelos *stakeholders* caso a transformação do RH seja bem-sucedida.

Na Tabela 3.1, resumimos alguns desses resultados. Ao criar seu plano de transformação do RH, você pode querer escolher os *stakeholders* que mais o preocupam e, então, analisar e definir os resultados que serão mais importantes para eles. Esses resultados deverão ser definidos, avaliados e controlados ao longo do tempo para quantificar o progresso de sua transformação de RH. O processo de esclarecimento dos *stakeholders* e dos resultados virá de sua equipe de assessores ao responderem as seguintes perguntas:

- Como devemos fazer para dividir 100 pontos entre os possíveis *stakeholders* que são mais importantes para o sucesso dos negócios futuros e que irão receber valor de nossa transformação do RH? Sua equipe deve chegar a uma opinião compartilhada no levantamento de quais *stakeholders* (funcionários, gerentes de área, clientes, reguladores, investidores, comunidades) são mais importantes e serão mais afetados pela transformação.
- Que medidas são confiáveis, corretas, transparentes e fáceis de coletar para os stakeholders mais importantes? Para cada stakeholder, sua equipe deve selecionar dois ou três indicadores-chave para controlar o progresso da transformação.
- Como você pode coletar os dados para que possa avaliar e comparar onde você está hoje e acompanhar o futuro? Você precisa criar um processo sistemático para coleta, compartilhamento e monitoramento dos resultados de seu *stakeholder*. Essa informação fará parte do *scorecard* da transformação e vai ajudá-lo a monitorar seu trabalho.

Capítulo 3 – Quais são os Resultados da Transformação do RH

Tabela 3.1 *Medidas da transformação do RH dos stakeholders-chave*

STAKEHOLDER	MEDIDAS POSSÍVEIS
Funcionários	• Maior competência para empregos presentes e futuros • Mais compromisso e comprometimento • Maior produtividade • Crescente retenção de funcionários talentosos • Desejo de indicar à empresa outras potenciais contratações
Líderes e liderança	• Medida da reserva de talento (número de pessoas qualificadas para funções-chave) • Capacidade de exportar talentos para o resto da empresa • Capacidade fazer uma diagnose da organização e identificar capacitações-chave • Foco compartilhado sobre o qual é a estratégia • Ajuda para que a transformação aconteça • Reconhecidos pelos associados por demonstrar as competências necessárias para um líder (por exemplo, em um exercício de *feedback* de 360°).
Clientes	• Maior cota de clientes entre os clientes-alvo (participação na carteira) • Mais lealdade e satisfação com a empresa nas pesquisas com clientes • Maior desejo de se comprometer com a empresa em relacionamentos de longo prazo • Vontade de recomendar a empresa para outros • Percentagem de novos projetos vencidos em licitações
Reguladores	• Confiar que a empresa faz a coisa certa • Dar voz à empresa na definição de regras • Perceber a empresa como cumpridora das leis e regulamentos
Analistas/ Investidores	• Maior valor de mercado • Crença na estratégia de crescimento • Maior confiança nos ganhos futuros • Confiança na qualidade da liderança na tomada de decisões certas sobre estratégia, clientes e operações
Comunidade	• Recebe o reconhecimento como o empregador escolhido • Administra a responsabilidade ambiental (reduz a emissão de carbono) • Dá retorno para a comunidade (filantropia) em termos de dinheiro e tempo • Estimula práticas de trabalho seguras e positivas • Cria reputação positiva como um bom ambiente de trabalho

Seguindo esses passos, você verá o impacto da sua transformação do RH em termos de resultados, conforme visto pelos *stakeholders* que você atende.

Medidas da capacitação

Assim como as medidas do *stakeholder* acompanham os resultados da transformação do RH, conforme visto pelos receptores da transformação, acreditamos que ela também deveria alterar a identidade, cultura ou imagem fundamentais da empresa. Referimo-nos a esse resultado da transformação do RH como *definição e construção de capacitações*. As capacitações moldam a maneira como as pessoas encaram as organizações. Quando trabalhamos com executivos para definir a organização do futuro, fazemos uma pergunta simples: "Você pode indicar uma empresa que admira?" A lista de empresas admiradas varia, mas geralmente inclui General Electric, Apple, Disney e Microsoft. Então, perguntamos: "Quantos níveis de administração tem essa empresa?" Quase ninguém sabe.

E ninguém se importa – não admiramos uma empresa por seus papéis, regras ou rotinas. Ao contrário, admiramos uma empresa como a GE por sua capacidade de criar líderes nos diversos setores; admiramos a Apple porque ela está continuamente projetando produtos fáceis de usar; admiramos a Disney pelos serviços fora de série que conhecemos; admiramos a Google e a Microsoft por sua capacidade de inovar e configurar sua indústria. Em outras palavras, as organizações não são conhecidas por suas *estruturas*, mas por suas *capacitações*.

As capacitações representam o modo como a empresa é reconhecida, o que ela sabe fazer e como ela padroniza as atividades para distribuir valor. Elas definem muitos dos intangíveis valorizados pelos investidores, a marca da empresa a que os clientes podem se referir e a cultura que molda o comportamento do funcionário. Essas capacitações também se tornam a identidade da empresa, os produtos das práticas de RH e as chaves para implementar a estratégia de negócios. Elas podem e devem ser monitoradas.

FERRAMENTA 3.1	*Capacitações organizacionais*
▶	Assista a um vídeo em que Dave Ulrich explica a importância das capacitações organizacionais e por que elas são os produtos no. 1 do RH
	▶ *Acesse www.TransformHR.com*

FERRAMENTA 3.2	*Avaliação das capacitações organizacionais*
① ② ③ ④	Certifique-se de que sua equipe de transformação do RH saiba sobre as necessidades organizacionais. Confira a RBL Organizational Capability Assessment (Avaliação de capacitações organizacionais de RBL)
	▶ *Acesse www.TransformHR.com*

Não há uma lista mágica de capacitações ideais ou desejáveis. As seguintes capacitações e suas medidas, porém, parecem ser inerentes às empresas bem administradas:

Talento
Velocidade
Mentalidade compartilhada
Responsabilidade
Colaboração
Aprendizado
Liderança
Conexão com o cliente
Inovação

Unidade estratégica
Simplicidade
Responsabilidade social
Risco
Eficiência

Talento

Sabemos atrair, motivar e reter pessoas competentes e comprometidas.

A garantia dos talentos significa ir além dos chavões como "as pessoas são nosso ativo mais precioso" e "a estratégia segue as pessoas", e investir tempo e recursos para garantir um talento superior. Os funcionários precisam ser competentes e comprometidos. Funcionários competentes têm habilidades para atender as exigências do negócio de hoje e de amanhã. Funcionários comprometidos implantam essas habilidades de maneira regular e previsível. Os líderes podem avaliar até que ponto sua organização normalmente atrai e retém talentos e até que ponto esse talento é totalmente usado para um desempenho excepcional. A capacidade de assegurar funcionários competentes cresce quando os líderes compram (introduzem novos talentos), criam (desenvolvem os talentos existentes), copiam (acessam líderes importantes por meio de alianças ou parcerias), demitem (excluem talentos fracos) e prendem (mantêm os melhores talentos).

A competência dos funcionários pode ser controlada pela avaliação da percentagem de funcionários que tem a capacidade de desempenhar seu trabalho hoje e no futuro, pela comparação dos funcionários atuais com os concorrentes, e por medidas de produtividade que controlam a produção do funcionário em relação às unidades de *input* do mesmo. Uma empresa controla o número de funcionários procurados por empresas de recrutamento e considera isso bom, pois sugere a existência de um reservatório de funcionários talentosos. Outra empresa convida os investidores a visitá-la e a fazer perguntas a qualquer funcionário sobre a estratégia, o produto ou a posição financeira da empresa. Este teste de conhecimento dos negócios impressiona os investidores que podem, com isso, determinar de imediato a competência dos funcionários.

A afirmação do comprometimento surge quando os líderes criam uma proposição de valor do funcionário garantindo que os funcionários que contribuem mais recebam mais daquilo que lhes interessa. Os líderes podem controlar o comprometimento por meio da retenção dos melhores funcionários. (E a falta de retenção da camada inferior; sempre lembramos que a decisão mais estratégica de recursos humanos para uma empresa é colocar seus piores funcionários nos seus concorrentes). Os líderes também podem controlar o comprometimento por meio de pesquisas de desempenho do funcionário feitas por observação direta, pois os executivos observam intuitivamente o nível de comprometimento dos funcionários. Os líderes que formam funcionários competentes e comprometidos garantem um fluxo de talentos que ajuda a organização a ter um bom desempenho ao longo do tempo.

Velocidade

Sabemos fazer as mudanças importantes acontecerem rapidamente.

Ganhar velocidade permite que a empresa transforme uma habilidade de mudanças medíocre em uma capacidade de mudanças rápida e ágil. A velocidade significa que a empresa pode identificar e entrar em novos mercados rapidamente, pode desenvolver e distribuir novos produtos ou serviços, solidificar contratos com novos funcionários e operacionalizar novos processos de negócios. Os líderes colocam essa capacitação na organização concentrando-se na rigorosa e rápida tomada de decisões, implementando processos de mudança por toda a organização, removendo barreiras burocráticas para mudanças e eliminando outros vírus que impedem a mudança. Melhorar a capacidade de mudança leva tempo, porque as leis de entropia impedem que a mudança aconteça, mas quando as grandes empresas agem como empresas pequenas e ágeis, elas dominam a capacitação de velocidade.

A velocidade pode ser controlada de diversas maneiras, todas elas envolvendo tempo. O tempo pode ser controlado desde a concepção até a comercialização de uma ideia, desde a troca de uma linha de montagem até a produção do primeiro produto, desde a coleta de dados do cliente até a pesquisa de mercado, desde a movimentação dos produtos até e através dos canais de distribuição, desde o tempo até a escala de produção e desde a proposta de uma mudança administrativa até a completa implementação dessa mudança. Assim como o crescente giro de estoque mostra que os ativos físicos são bem utilizados, a economia de tempo demonstra economia financeira em termos de produtividade do trabalho, mas também um crescente entusiasmo e receptividade a oportunidades à frente da concorrência.

Mentalidade compartilhada

Sabemos oferecer aos clientes e funcionários imagens e experiências positivas de nossa organização.

Ganhar uma mentalidade compartilhada, ou identidade da marca da empresa, pode ser vital. Uma mentalidade compartilhada é uma unidade de identidade em que a imagem externa de sua organização (marca, reputação) é compatível com sua cultura interna. A unidade de identidade surge do entendimento da maneira como as empresas se movem: de marcas de produtos individuais para marcas da empresa. O nome Marriott em um hotel acrescenta valor porque passa ao viajante confiança no produto. A GE privilegia a imaginação no trabalho por meio de uma ampla gama de produtos e serviços. Estar associada com a marca dos jogos olímpicos vale milhões para as empresas que querem se ligar com a imagem positiva de uma Olimpíada. Os líderes podem identificar e moldar sua mentalidade compartilhada, ou marca da empresa, criando um consenso em sua equipe de gestão com relação a como eles querem que a empresa seja "conhecida" no futuro por seus melhores clientes. Uma vez alcançado um consenso sobre essa identidade, os líderes podem investir em uma série de ações para tornar a identidade real, tanto para os clientes como para os funcionários.

A mentalidade compartilhada pode ser avaliada por meio de um exercício simples. Peça à sua equipe para responder a pergunta: "Quais são as três coisas mais importantes pelas quais queremos ser reconhecidos pelos nossos melhores clientes no futuro?" Reúna as respostas e avalie o grau de consenso em termos da percentagem de respostas que são dadas às três categorias escolhidas. Fizemos este exercício centenas de vezes, e geralmente encontramos uma mentalidade compartilhada na faixa de

50 a 60%. As empresas líderes estão na faixa de 80 a 90%, pois elas têm uma clara visão de como querem ser conhecidas pelos clientes. O próximo passo do exercício é fazer a mesma pergunta para clientes-chave. Isso fará com que você monitore em que medida as mentalidades internas e externas são compartilhadas, fornecendo um indicador claro do valor da cultura.

Responsabilidade

Somos bons nas disciplinas que resultam em bom desempenho.

Algumas empresas desenvolveram hábitos de responsabilidade. Seu pessoal acredita que simplesmente não é aceitável errar o alvo. A responsabilidade pelo desempenho se torna uma capacitação da empresa quando os funcionários percebem que ela precisa atender suas expectativas. A responsabilidade aparece quando as estratégias se traduzem em padrões de desempenho mensuráveis e quando as recompensas estão ligadas a esses padrões. Quando há uma linha de ação entre as recompensas, avaliações e estratégias, é provável que a responsabilidade também exista. Um líder que olha um formulário de avaliação de um funcionário deveria conhecer a estratégia que o funcionário está tentando colocar em prática e que ações específicas o funcionário deve tomar para ajudar na realização da estratégia. Recompensas, tanto financeiras como não-financeiras, reforçam a estratégia e possibilitam que os funcionários recebam um *feedback* claro, definitivo e tangível de seu desempenho.

A responsabilidade pode ser monitorada. Quando você olha para um formulário de avaliação de desempenho, você deve ser capaz de ver a estratégia do negócio. Os itens considerados na avaliação são indicativos da estratégia? Que percentagem de funcionários recebe uma avaliação todos os anos? Quanta variação existe na remuneração baseada no desempenho do funcionário? Algumas empresas dizem possuir uma filosofia de remuneração por desempenho, mas todos os seus aumentos anuais variam de 3,5 a 4,5%. Elas alegam uma cultura de responsabilidade que não têm. Qual a percentagem de funcionários que acha que parte de sua remuneração corre riscos dependendo do desempenho pessoal ou da equipe?

Colaboração

Sabemos trabalhar além das fronteiras para assegurar eficiência e alavancagem.

O todo precisa ser maior do que a soma das partes. Algumas organizações seriam mais valiosas se suas partes fossem, operacional e legalmente, mais independentes. Essas organizações geralmente não entendem a colaboração como uma capacitação. A colaboração pode aparecer quando a organização combinada ganha eficiência na operação por meio de compartilhamento de serviços, tecnologia, esforços de venda ou economias de escala. A colaboração também aparece quando a organização combinada realiza mais do que seus elementos poderiam alcançar separadamente, porque ela dominou a aprendizagem e compartilhamento de ideias através das fronteiras; desenvolveu, alocou e sustentou recursos para as áreas-chave; e criou estratégias que tiram o máximo proveito dos produtos e dos clientes. Os líderes criam colaboração ao buscar laços de eficiência e *feedback* sinérgico por toda a organização.

A colaboração pode ser controlada tanto no nível da instituição quanto das equipes. Institucionalmente, você pode determinar seu *valor de liquidação* e compará-lo com seu valor de mercado atual. Em geral, se o *valor de liquidação* for 25% maior do que o valor de mercado atual dos ativos, a colaboração não está ocorrendo do modo que deveria. Dentro da organização, a colaboração pode ser controlada pelo monitoramento do fluxo de talentos e ideias através das fronteiras. As pessoas estão se deslocando de uma área para outra? As ideias ou práticas desenvolvidas em uma área da empresa estão sendo utilizadas em outra área? Finalmente, a colaboração pode ser avaliada pela redução de custos na administração devido ao compartilhamento de serviços. Por exemplo, sabe-se que os serviços compartilhados produzem uma redução de 15 a 25% nos custos administrativos do funcionário. Em média, empresas de grande porte gastam, por ano, por funcionário, cerca de $1.600 em administração, e é possível calcular a provável redução de custos dos serviços compartilhados: $1.600 × 0,2 [redução de custos] × número de funcionários.

Aprendizagem

Sabemos gerar e generalizar ideias com impacto.

A aprendizagem consiste em duas etapas diferentes, mas igualmente importantes: a geração e a generalização delas (compartilhamento) de novas ideias por toda a organização. A geração de novas ideias surge do *benchmark* (análise e adaptação do que outros fizeram), da experimentação (teste de novas ideias para ver se e como elas funcionam), a competência da aquisição (contratação e desenvolvimento de pessoas com novas habilidades e ideias), e da melhoria contínua (criação sobre o que foi feito por meio de sistemas de sugestões e análise de processos). A generalização de ideias significa que elas se movem através de um limite de tempo (de um líder para o próximo), de nível (de uma camada organizacional para a outra), de espaço (de um lugar para outro) ou de divisão (de uma unidade de negócios para outra). O compartilhamento de ideias através das fronteiras pode ser feito por meio de tecnologia, pela criação de comunidades de práticas ou pela transferência de pessoas. Os líderes que incentivam a aprendizagem individual ou de equipe também podem criar uma aprendizagem organizacional com essas práticas.

Do mesmo modo que a colaboração, a aprendizagem pode ser controlada em níveis individuais e organizacionais. Para os indivíduos, a aprendizagem significa o abandono das antigas práticas e a adoção ou adaptação de novas. Você pode fazer as seguintes perguntas aos funcionários: Qual é a meia-vida do conhecimento em seu emprego atual? Quando 50% do que você sabe fazer não mais se aplica? Que percentagem de seu valor pessoal para a empresa surge de ideias que você gerou no último ano? Quantas pessoas na empresa estão utilizando ideias geradas por você? Essas perguntas analisam quanto os funcionários estão focados na geração e generalização de novas ideias para seu trabalho. A aprendizagem dentro da organização aparece na melhoria contínua. Eles estão produzindo melhor? No *marketing?* No atendimento ao cliente? No comprometimento do funcionário? Ao estabelecer as avaliações iniciais e os resultados do monitoramento, você pode transformar a aprendizagem em uma parte do esforço de melhoria organizacional.

Liderança

Sabemos incorporar líderes em toda a organização que entregam resultados certos, da maneira certa – que levam nossa marca de liderança.

Algumas organizações produzem líderes. Geralmente, essas organizações têm uma marca de liderança, uma declaração clara do que os líderes devem saber, ser e fazer. A marca de liderança existe quando os líderes de uma organização, de alto a baixo, têm uma identidade única ligada às expectativas do cliente. Esses líderes são reconhecíveis, focados e capazes de transformar as expectativas do cliente em ações do funcionário. No livro *Leadership Brand*, analisamos detalhadamente um processo em seis passos para a criação de tal marca.

A marca de liderança pode ser controlada pelo monitoramento do grupo de futuros líderes. Quantos substitutos temos disponíveis para nossos 100 melhores funcionários? Em uma empresa, esse número caiu de aproximadamente 3:1 (três reservas qualificadas para cada uma das cem melhores funções) para 0,7:1 (menos de um para um). Essa empresa reconheceu que o enxugamento havia prejudicado seriamente a força do banco de liderança.

Conexão com o cliente

Sabemos criar relacionamentos de confiança duradouros com clientes-alvo.

Muitas empresas descobriram, por meio da análise de valor do cliente, que 20% dos clientes correspondem a 80% do desempenho da empresa. Esses clientes tornam-se absolutamente importantes para que uma empresa concorra e vença. A conectividade do cliente pode ter origem em uma variedade de práticas: base de dados que identificam e controlam as preferências individuais do cliente, equipes de contas dedicadas que criam relacionamentos de longo prazo com contas-chave ou o envolvimento do cliente nas práticas de RH da empresa. Para basearem-se em tais oportunidades, muitas empresas estão incluindo clientes na equipe, no treinamento, na remuneração e nas práticas de comunicação. A conectividade do cliente também pode ser aprimorada quando uma grande parte da população de funcionários tem uma significativa exposição ou interação com os clientes externos. O resultado líquido dessas atividades é conectar os corações e mentes dos clientes-chave aos corações e mentes dos funcionários. Quando isso acontece, o aumento nas vendas e na participação no mercado são subprodutos naturais.

A conectividade e o serviço ao cliente podem ser controlados por meio do compartilhamento de clientes-chave em vez da participação no mercado. Para isso, é necessário que você identifique suas contas-chave e, depois, localize a parcela dessas contas ao longo do tempo. Além disso, as avaliações habituais dos atendimentos ao cliente normais podem oferecer *insight* sobre a maneira como os clientes-chave reconhecem e consideram sua conectividade.

Inovação

Sabemos fazer algo novo tanto no conteúdo como no processo.

A inovação se concentra no compartilhamento de oportunidades para a criação do futuro e não na dependência dos sucessos passados. A inovação é importante porque estimula o crescimento. Ela estimula os funcionários concentrando-se no que pode ser, antecipa as exigências dos clientes, os surpreende com coisas que eles não esperavam e estabelece confiança com os investidores ao criar valor intangível.

Os líderes empresariais e de RH que focam na inovação, frequentemente fazem a seguinte pergunta: O que vem depois? E depois? Eles perguntam isso em todos os setores de seu negócio. A oferta de produtos inovadores inclui produtos novos e revolucionários ou desdobramentos do produto (isto é, novos desempenho, características ou funcionalidades). A inovação estratégica do negócio altera a maneira como o empreendimento faz negócio (abrindo novas regiões do mundo), a maneira como o empreendimento entra no mercado (via novos canais), a maneira como os clientes encaram a empresa (como quando o eBay descobriu que podia crescer ajudando os clientes a venderem uns para os outros). A inovação administrativa acontece quando são introduzidos novos processos nas finanças, na TI, no *marketing*, no RH, na produção e em outros sistemas de pessoal.

A inovação pode ser controlada por um indicador de vitalidade, como, por exemplo, a percentagem de receitas (ou lucros) originada dos produtos e serviços criados nos últimos três anos. A inovação também pode ser monitorada com a introdução e implantação de novos processos na organização.

Unidade estratégica

Sabemos articular e compartilhar um ponto de vista estratégico.

Muitos líderes são muito mais eficientes na formulação de estratégias do que na sua execução. Isso geralmente acontece porque não há uma unidade de entendimento compartilhado da estratégia desejada. Quatro agendas se unem para criar uma unidade estratégica: intelectual, comportamental, de processo e de dimensão. Uma *agenda intelectual* assegura que todos os funcionários saibam qual é a estratégia e por que ela é importante. Essa agenda é distribuída por meio de simples mensagens repetidas constantemente. Uma *agenda comportamental* garante que as ideias da estratégia configurem o comportamento dos funcionários. Isso acontece não apenas dizendo aos funcionários o que fazer, mas perguntando a eles o que irão fazer em vista da estratégia. Ao permitir que os funcionários definam seu comportamento com relação à estratégia, você possibilita que eles se sintam comprometidos com ela. Uma *agenda de processo* assegura que os processos da organização (orçamento, contratação, tomada de decisões) fiquem alinhados com a estratégia. Esses processos podem passar por uma reengenharia para garantir a criação de unidade. Uma *agenda de dimensão* garante que todos os funcionários tenham uma definição operacional da estratégia compartilhada e uma maneira de dimensionar o progresso no sentido de executar a estratégia. A unidade estratégica possivelmente acontecerá quando todas as quatro agendas estiverem implantadas.

O monitoramento da unidade estratégica acontece quando os funcionários têm um conhecimento estratégico evidenciado em uma única resposta para a pergunta: qual é a estratégia deste negócio que nos separa dos concorrentes e nos ajuda a ter sucesso com os clientes? A agenda comportamental para a unidade estratégica é medida por meio da pergunta feita aos funcionários sobre que percentagem do tempo eles acham que estão dedicando para facilitar a estratégia, e também da pergunta sobre se suas sugestões para melhoria são ouvidas e utilizadas. A agenda de processo para a unidade estratégica é avaliada na medida em que os processos, de forma lógica e empírica, se ligam à estratégia de negócios. A agenda de dimensão para a unidade estratégica pode ser avaliada na medida em que os objetivos estratégicos e suas dimensões associadas são compartilhadas por toda a empresa.

Simplicidade

Sabemos simplificar as estratégias, os processos e os produtos.

Os movimentos de qualidade, Seis Sigma e produção enxuta, tem ajudado as organizações a reduzir a variação e a fazer uma reengenharia dos processos. Hoje em dia vemos uma quantidade de empresas ampliando esse trabalho enquanto tentam simplificar o modo como trabalham. Essa simplificação pode ocorrer na maneira como os clientes compram (desde a compra até a entrega e o pagamento), como os produtos são projetados (para facilidade de uso) e como funcionaram os processos administrativos (como o processamento de benefícios ou a participação em um programa de treinamento).

A simplicidade pode ser avaliada pelo tempo por unidade de atividade (veja Velocidade, na página 51), pelo custo unitário, pela redução de passos redundantes ou desnecessários nas atividades de trabalho, e pela diminuição das unidades de manutenção de estoque e da complexidade. Uma empresa descobriu que cada opção de produto adicional em seu catálogo custava $10.000, a maior parte escondidos em recursos de projeto, estoque e custos de fabricação.

Responsabilidade social

Sabemos contribuir para a comunidade na qual atuamos ou visamos o bem maior.

Na Europa, muitas empresas acreditam no que chamam de tripé da sustentabilidade (resultados da empresa em termos sociais, ambientais e econômicos), a partir do qual podem avaliar em que medida atendem os altos padrões de responsabilidade social. Além disso, um número e uma variedade crescentes de fundos mútuos enfatizam os investimentos nas empresas que demonstram responsabilidade social.

A responsabilidade social está presente de diversas maneiras. A filantropia representa um compromisso de servir a comunidade na qual você atua. Uma empresa queria ser conhecida como uma "corporação com um coração generoso" e se comprometer com a doação para causas comunitárias nobres. A sustentabilidade, ou a redução de emissão de carbono, é outra forma de responsabilidade social. Muitas empresas estão administrando instalações (iluminação, uso de energia, espaço) e características dos produtos (redução de embalagens e utilização de produtos verdes), e auditando seu consumo de energia. Práticas amigáveis, como licenças do trabalho ou horários flexíveis, ajudam as empresas a demonstrar sua responsabilidade social. Um aspecto cada vez mais importante da responsabilidade social corporativa é a sensibilidade para as necessidades das populações locais, cuja terra contém muitos recursos. Todas essas atividades socialmente responsáveis estão entrelaçadas com crenças, valores e compromissos compartilhados com a comunidade na qual você atua.

A responsabilidade social pode ser monitorada tanto pela atividade quanto pela reputação. A atividade significa que você projetou e implementou sustentabilidade, filantropia e políticas de empregabilidade que comunicam seus valores de responsabilidade social. Por exemplo, algumas empresas comprometem uma parte dos ganhos com caridade e também informam o tempo que um funcionário dedica para o serviço de outras pessoas. A reputação social pode ser avaliada por índices como Melhores Empresas, pelos quais entidades externas avaliam a reputação de uma empresa.

Risco

Sabemos fazer previsões e gerir riscos.

Em tempos econômicos incertos, as organizações enfrentam mudanças difíceis de prever. Gestão de risco significa ter menos interrupção quando as coisas não vão bem. Quando os recursos organizacionais são expandidos ao máximo, as empresas são menos capazes de gerir a interrupção. Esses recursos podem ser financeiros ou emocionais. Com um capital muito expandido, as organizações não conseguem sobreviver aos maus momentos ou investir em novas oportunidades. Da mesma forma, os recursos emocionais também podem ser expandidos de forma tênue; os funcionários podem ter muito poucas reservas emocionais para lidar com as mudanças adicionais e enfrentar esgotamentos. A gestão de risco aumenta a capacidade da organização de prever o futuro a partir do presente. Reduzir a variação também ajuda a reduzir o risco ao criar previsibilidade e disciplina nos processos de trabalho.

O risco pode ser controlado pela avaliação da medida em que as exigências de uma organização excederam seus recursos nos mercados financeiros e nas necessidades humanas. Sua organização está em dificuldades por ter débitos ou créditos excessivos? Sua organização explorou excessivamente a reserva emocional de seus funcionários? Isso pode representar custos com tratamentos da saúde mental, faturamento, menor produtividade ou problemas de comportamento. A capacidade de administrar bem os riscos pode ser essencial para a implementação da estratégia, especialmente numa economia volátil.

Eficiência

Sabemos gerir os custos operacionais.

Nos mercados competitivos, a gestão eficiente de custos aumenta a liberdade que uma empresa tem para investir em atividades de alto retorno. Os líderes podem reduzir custos por meio de processos, pessoas e projetos. A melhoria do processo surge pelo Kaizen ou outros esforços de melhoria da produtividade que reduzem a variação, eliminam etapas na realização do trabalho, reduzem os estoques e locais de trabalho, e garantem um fluxo de produtos e serviços. As melhorias pessoais surgem ao se fazer mais com menos, por meio da tecnologia, das equipes e de processos mais eficientes. Os investimentos no projeto surgem da gestão de despesas de capital na alocação do dinheiro com inteligência para futuros investimentos. Os líderes que somente administram os custos e ignoram o crescimento falham porque não conseguem preservar seu caminho para a prosperidade; os líderes que evitam as melhorias de custo e eficiência possivelmente não terão a oportunidade de aumentar o faturamento.

O controle da eficiência pode ser o mais fácil deles. O custo das mercadorias vendidas, dos estoques, da mão de obra direta e indireta, e do capital empregado pode ser medido a partir do balanço e da declaração de renda.

Conclusão

Neste capítulo, as capacitações representam os resultados da transformação do RH. São os produtos dos recursos humanos, e eles levam os resultados para cada *stakeholder* (como mostrado na Figura 3.1). Ao concentrar-se nas capacitações como resultado, a equipe de transformação do RH deveria fazer uma auditoria de capacitações para identificar quais delas são mais importantes para o sucesso futuro de sua organização, consideradas as condições do negócio e a estratégia do negócio. Com essas capacitações priorizadas podem ser criados *scorecards* para controlar a linha de base e o progresso nas capacitações importantes. Concentrando-se nos *stakeholders* e nos resultados das capacitações organizacionais, o resultado da transformação do RH pode ser definido e controlado.

CLIENTES OU FORNECEDORES
Participação do cliente

REGULADORES
Grau de conformidade

INVESTIDORES
Valor intangível

CAPACITAÇÕES ORGANIZACIONAIS
(definidas e controladas)

FUNCIONÁRIOS
Competência e comprometimento

COMUNIDADE
Reputação e imagem

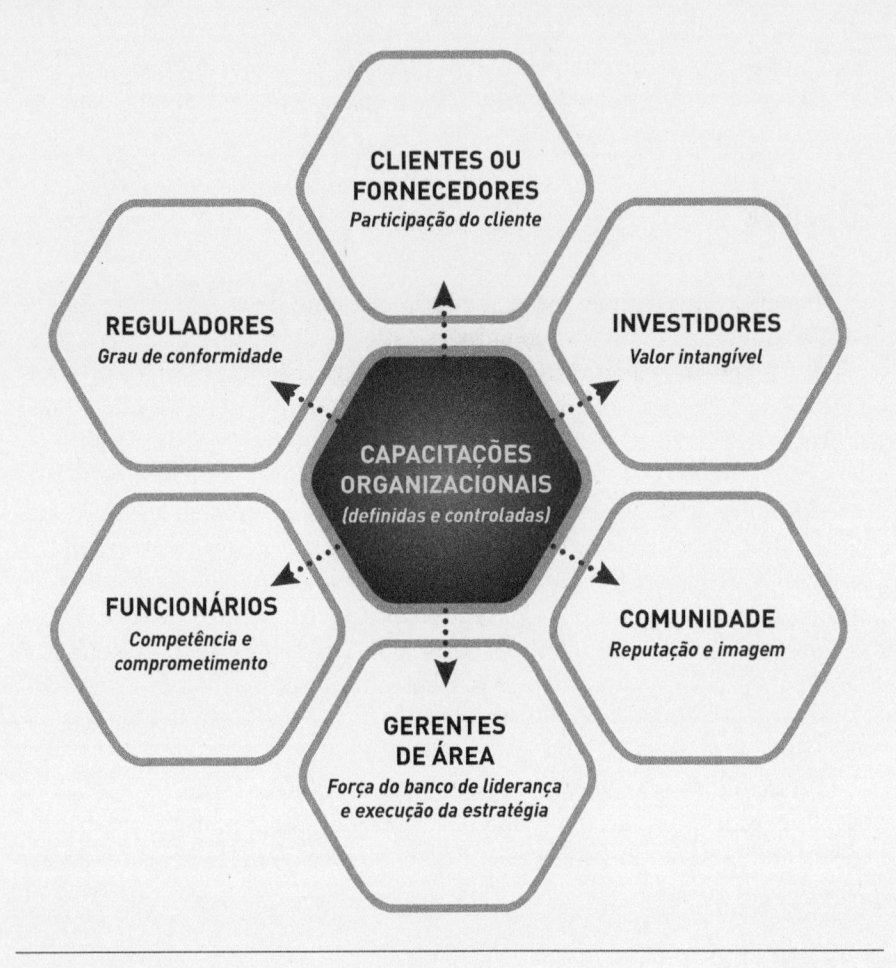

GERENTES DE ÁREA
Força do banco de liderança e execução da estratégia

Figura 3.1 *Diagrama das avaliações do* stakeholder.

FERRAMENTA 3.3	*Operacionalizando suas capacitações*
▶	Transforme as capacitações identificadas na auditoria de capacitações em medidas específicas que podem ser monitoradas e controladas. Assista ao vídeo de Mark Nyman descrevendo como conectar os produtos da transformação em um *scorecard* para que todos conheçam os resultados desejados e vejam como a organização está alcançando esses resultados.
	▶ *Acesse www.TransformHR.com*

FERRAMENTA 3.4	*Mapeamento das capacitações para os* **stakeholders**
▶	Escute Justin Allen compartilhar exemplos de melhores práticas sobre como o desenvolvimento de capacitações-chave beneficiará os funcionários, gerentes de área, clientes, investidores, comunidades e outros *stakeholders*.
	▶ *Acesse www.TransformHR.com*

Fase: 3
REDESENHO DO RH

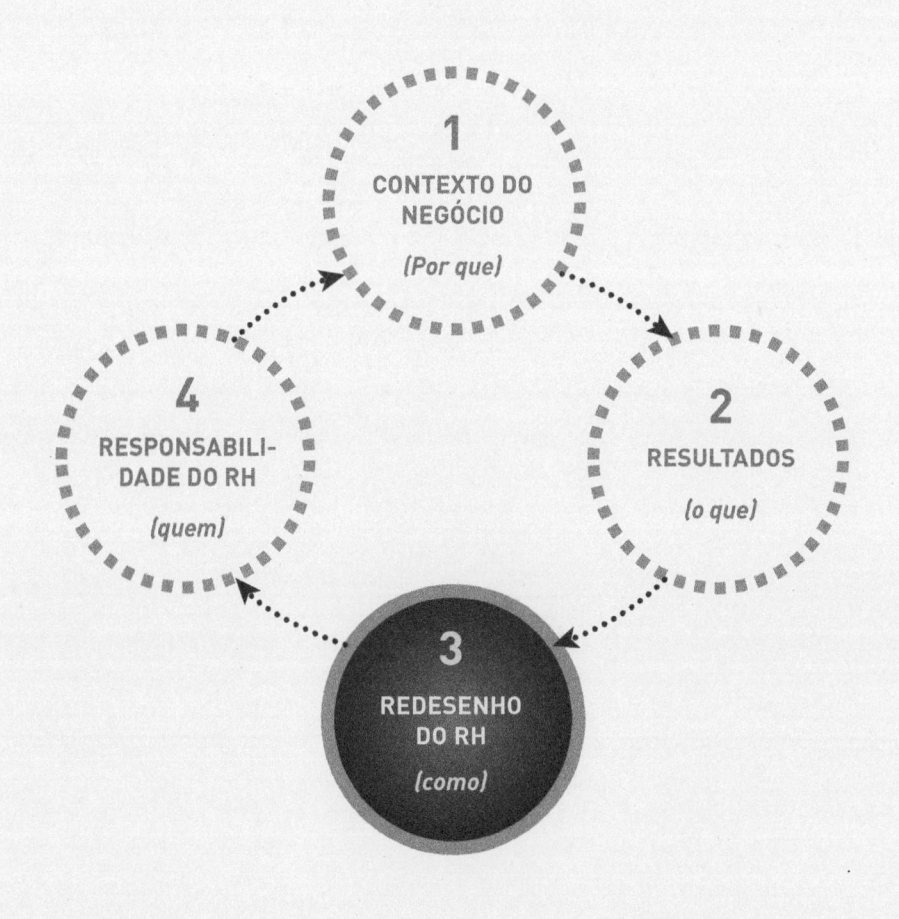

1 CONTEXTO DO NEGÓCIO *(Por que)*

2 RESULTADOS *(o que)*

3 REDESENHO DO RH *(como)*

4 RESPONSABILIDADE DO RH *(quem)*

REDESENHE O DEPARTAMENTO DE RH

4

As duas primeiras fases da transformação do RH respondem as perguntas *por que* (contexto do negócio) e *o que* (resultados da transformação do RH). A terceira fase trata de *como* fazer a transformação. Esta fase tem três componentes, cada um deles é uma maneira de definir o que queremos dizer com RH:

- A função ou o departamento de RH talvez necessitem ser redesenhados.
- As práticas de RH podem ser transformadas para que sejam mais eficazes ou mais alinhadas, integradas e inovadoras.
- Os profissionais de RH podem ser treinados para que tenham as competências exigidas para desempenhar seu trabalho.

Neste capítulo, começamos a responder as perguntas concentrando-nos na reformulação do departamento de RH, pois é o início de muitos esforços na sua transformação. A essência de um departamento de RH transformado é a orientação para dirigi-lo como um negócio dentro de outro. Todos os negócios têm uma estratégia (o que estão tentando fazer) e uma estrutura (como organizam as pessoas e o trabalho para que o trabalho seja feito). Tanto a estratégia quanto a estrutura do RH podem ser reformuladas para garantir que o departamento de RH responda ao contexto do negócio e agregue valor à organização.

A transformação da estratégia do RH

A estratégia de RH fornece o foco e a direção para o seu departamento. Há muitas versões e dimensões das declarações de estratégia em geral e do RH em particular. Lembramos que, ao transformar a estratégia de um determinado departamento de RH, a declaração de estratégia (às vezes chamada de direção, intenção ou arquitetura estratégica) deve responder três perguntas, nesta ordem:

1. Quem é você? (visão)
2. O que você comunica? (missão ou proposição de valor)
3. Por que você faz isso? (os resultados que queremos obter)

Quem é você

O que você é representa uma identidade ou imagem; isso é o que uma estratégia do RH deveria oferecer externa ou internamente para a função. Essa identidade molda as expectativas do *stakeholder* e do profissional interno de RH, concentra-se no futuro em vez do passado, alinha-se com as exigências do negócio e oferece uma meta de crescimento. Molda a marca da função do RH, cria expectativas, define o rumo e orienta o desenvolvimento.

Você pode descrever a identidade por meio dos papéis e ações desenvolvidas pelos profissionais de RH, inclusive os facilitadores, colaboradores, líderes do pensamento, criadores, *players* e executores. Provavelmente você irá criar sua identidade com mais de uma dessas expressões, mas deve ter foco estratégico suficiente para escolher no máximo três. Essa identidade deveria ser testada e confirmada com os gerentes de área que utilizam seus serviços, com os funcionários afetados pelas políticas que você cria, com os clientes e investidores cujo relacionamento com sua empresa está moldado por suas políticas e, na função de RH, por seus profissionais de RH. Por exemplo, neste contexto, a identidade pode ser entendida como "líderes do pensamento e arquitetos da mudança" ou "facilitadores e orientadores".

Essa identidade geralmente é delineada pela equipe sênior de RH com *input* de *stakeholders*-chave que ajudam a criar uma declaração de como querem que a organização seja conhecida. Assim, a identidade tem um componente de realidade bem como um componente de aspiração. Descobrimos que uma simples pergunta ajuda a enquadrar a definição: como você gostaria de ser conhecido por aqueles que utilizam seus serviços?

O que você comunica

O que você comunica é o conjunto de resultados descritos no Capítulo 3. Esses resultados deveriam incluir as capacitações necessárias para o sucesso da organização, que também pode ser caracterizada como os intangíveis que uma organização promete para seus investidores. Por exemplo, um departamento de RH pode garantir produtividade, criar talento individual, aumentar a velocidade, estabelecer uma mentalidade compartilhada, melhorar a responsabilidade ou estimular a inovação. Essas capacitações que ajudam a transmitir uma estratégia se tornam os produtos do RH. Em uma estratégia de RH, esses resultados deveriam ser operacionalizados para que possam ser controlados e medidos. Tantos o profissionais de RH quanto os gerentes de área são responsáveis por sua distribuição. A definição dos produtos do RH resulta das auditorias organizacionais, conforme descrito no Capítulo 3.

Por que você faz isso

Esta pergunta se liga ao contexto do negócio (Capítulo 2) e aos resultados do negócio ligados aos *stakeholders*. Esta parte da estratégia do RH adiciona a declaração "para que" e pode incluir aumento da receita, participação do cliente, lealdade do cliente ou retorno total do mercado. Essas declarações "para que" devem sugerir medidas que lhe permitam monitorar o progresso dos recursos humanos e o impacto que têm no negócio. Mais uma vez, você provavelmente irá escolher mais de um resultado (isto é, mais de uma capacitação organizacional para focar), mas deve ter foco suficiente para não escolher mais do que três. Provavelmente existirão coisas que algumas pessoas do RH tentarão alcançar que não se enquadram nessas declarações iniciais, mas tais declarações devem refletir o trabalho estratégico do RH em sua organização. Com esses resultados mensuráveis, o RH tem uma direção clara.

A união dessas três declarações cria a sua declaração de estratégia de RH:

Parte A: Quem somos:
Somos _____, _____ e _____

Parte B: O que fazemos:
que _____, _____ e _____

Parte C: Por que fazemos isso
para que _____, _____ e _____.

Embora essa declaração deva ser adaptada às suas circunstâncias, ela deve representar uma clara definição de sua estratégia de RH que, depois, pode ser comunicada interna e externamente para as funções do RH.

FERRAMENTA 4.1	*Declaração da estratégia de RH*
	Faça o *download* de uma cópia da HR Strategy Statement Worksheet (Planilha de Declaração da Estratégia do RH) e use esse documento como padrão em sua reunião de esclarecimento da estratégia de RH.
	▶ *Acesse www.TransformHR.com*

FERRAMENTA 4.2	*Delineando uma poderosa estratégia de RH*
	Acompanhe Wayne Brockbank enquanto ele descreve como esquematizar uma estratégia de RH e, depois, como torná-la real.
	▶ *Acesse www.TransformHR.com*

Transformação da organização do RH

A transformação de um departamento de RH exige a criação de uma organização de RH que reflita a organização do negócio e a sua estratégia. Encontramos três princípios prioritários do projeto organizacional. Primeiro, fazer com que a organização do RH siga a lógica e estrutura da organização do negócio. Segundo, fazer com que ela siga o fluxo de qualquer organização de serviços profissionais. Terceiro, distinguir entre o trabalho transacional e transformacional do RH.

A organização do RH acrescenta valor quando sua lógica e estrutura refletem a lógica e estrutura da empresa que atende. Descobrimos que, muitas vezes, as empresas organizam seus negócios em duas dimensões: centralizada (para gerar eficiência e controle) e descentralizada (para gerar eficácia e flexibilidade). Uma empresa cuja estratégia de portfólio está baseada na configuração de uma empresa *holding* consiste de múltiplas unidades de negócio, independentes umas das outras (canto inferior direito da Figura 4.1). As decisões de negócio competitivas são feitas nas divisões operacionais locais. Nesses casos, a lógica e os processos do RH também são encontrados nas unidades de negócio. Na maioria das empresas *holding*, o RH corporativo é relativamente pequeno ou inexistente. No outro extremo está uma corporação que consiste de um único negócio (canto superior esquerdo). Neste caso, a corporação e a unidade de negócios são os mesmos. Assim, o RH corporativo e a unidade de negócios do RH são a mesma coisa.

As configurações de portfólio relativamente mais complicadas são os níveis de mudanças alternativas que variam de não relacionados a altamente relacionados (canto superior direito da Figura 4.1). Em uma corporação em que a lógica do portfólio do negócio se baseia em diversificações não relacionadas, as diferenças ao longo do negócio compensam fortemente as similaridades. Nessas condições, a lógica do RH tende a ser

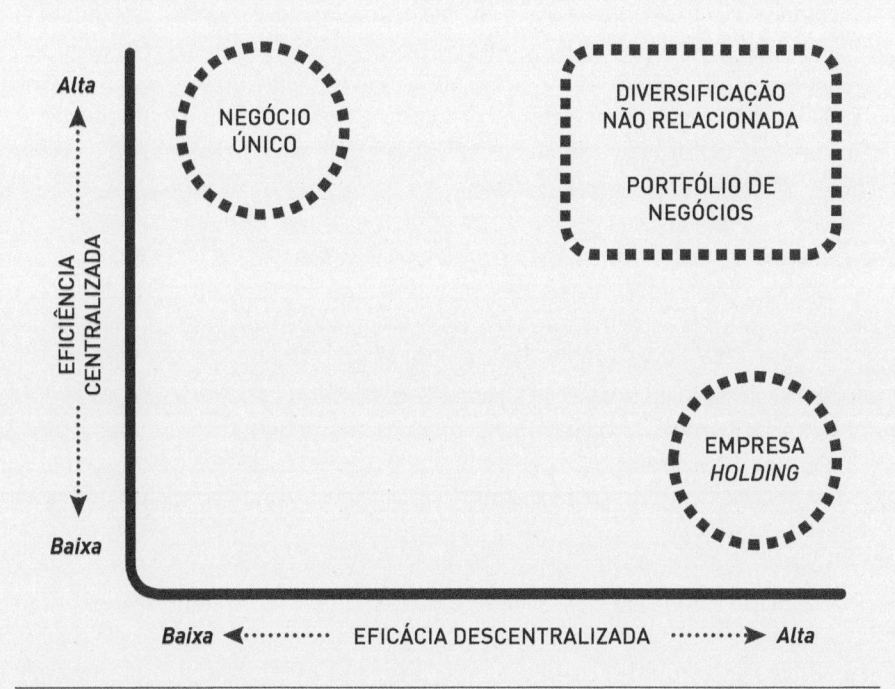

Figura 4.1 *Tipos de projeto organizacional.*

estabelecida e personalizada pelos distintos negócios. O perigo do RH nas empresas com diversificações não relacionadas é a armadilha do "tamanho único". Deve ser tomado muito cuidado para assegurar que as estratégias e práticas de RH sejam personalizadas de acordo com as exigências do negócio.

Nos portfólios corporativos que são configurados sob a suposição de diversificações relacionadas, as semelhanças têm mais importância do que as diferenças. Neste caso, a lógica, as estratégias e as práticas do RH serão compartilhadas nas unidades de negócio. Os perigos para o RH nesta configuração são os excessos no projeto e na distribuição das práticas de RH e a subotimização da sinergia do negócio. A regra de ouro a ser seguida é que a estratégia e estrutura do RH devem refletir aquelas da empresa. Algumas pessoas argumentaram que a estrutura de RH que recomendamos falha nas pequenas empresas. Elas não entendem que os negócios centralizados (e geralmente pequenos) devem ter estruturas de RH centralizadas.

O segundo princípio de projeto organizacional para o RH é o de qualquer empresa de serviço profissional. Uma empresa de advocacia, de publicidade, de contabilidade ou de consultoria ganha reconhecimento, respeito e a lealdade do cliente tornando o conhecimento produtivo. O conhecimento representa a informação e o *insight* coletivos da profissão. A produtividade ocorre quando esses *insights* se tornam padrões para o trabalho com os clientes e quando ajudam os clientes a alcançar seus objetivos. Os recursos humanos repousam em um corpo de conhecimento sobre como as pessoas e as organizações atuam. Esses *insights* se tornam produtivos quando os clientes do departamento de RH utilizam esse conhecimento para melhorar sua eficácia e eficiência. Os *stakeholders* descritos no Capítulo 2 deveriam ser capazes de alcançar seus objetivos mais suavemente em virtude da organização do departamento de RH, de seus processos de trabalho e de suas operações diárias. O trabalho de RH estratégico bem feito faz com que os líderes de negócio alcancem resultados mais facilmente.

Um terceiro princípio de projeto para a transformação do RH é diferenciar e administrar eficientemente o trabalho estratégico e transacional. Não é fácil definir o que é trabalho estratégico e o que é transacional, mas isso é fundamental para a transformação. No Capítulo 3, lembramos que um erro comum da transformação do RH é fazer alterações administrativas sem tratar de questões mais estratégicas. O trabalho descrito nos Capítulos 2 e 3 sobre contexto do negócio e capacitações-chave cria o contexto para saber qual o trabalho de RH de seu negócio que é ou deve ser estratégico. Uma vez feito isso, o processo envolve a avaliação de cada um dos resultados do RH e a determinação de como o resultado contribui para o negócio. Também é necessário que o trabalho administrativo ou transacional seja feito de forma eficiente.

A não ser que o trabalho estratégico e o trabalho transacional sejam separados, nenhum deles é feito de maneira correta. Até que possa identificar especificamente que trabalho de RH tem mais impacto no negócio, você não tem a percepção e o foco necessários para ser um parceiro estratégico. Este processo permite que você torne real sua estratégia de RH. Além disso, as organizações de RH que não fazem um trabalho transacional impecável não são verossímeis quando tentam desempenhar papéis estratégicos. Mais uma vez, certificar-se de que os trabalhos estratégicos e transacionais não são unificados tornará mais eficientes os dois tipos de trabalho.

FERRAMENTA 4.3	*Trabalho estratégico versus transacional*
▶	Como se pode ver no caso Pfizer (ver Capítulo 10), separar o trabalho transacional do trabalho transformacional é um passo essencial em qualquer transformação de RH. Ouça Mark Nyman descrever o processo de peneiramento.
	▶ *Acesse www.TransformHR.com*

Com base nesses três princípios de projeto, a organização do RH em evolução pode ter cinco conjuntos de responsabilidades diferentes e, por vezes, sobrepostos. Essas cinco responsabilidades representam canais ou maneiras de fazer o trabalho de RH, conforme esquematizado na Figura 4.2. O departamento de RH pode ou não decidir criar uma estrutura ou divisão organizacional específica para cada canal. A questão principal é identificar o fluxo de trabalho para cada um dos cinco canais na organização do RH e atualizar cada canal para distribuir os resultados analisados no Capítulo 3. Além disso, a percepção de todos os cinco canais é útil para a identificação dos resultados do RH presentes e futuros, a fim de garantir que todos os resultados estejam incluídos em nossa análise. Às vezes, alguns tentam transformar o departamento de RH focando em um canal. Por exemplo, colocar um novo sistema de informação de RH (Canal 1 na figura) pode aumentar a eficiência no trabalho administrativo, mas esta não é uma transformação completa do RH, a não ser que os outros papeis também sejam redesenhados (como especificado no princípio do terceiro projeto).

Parte I – Um Manual para a Transformação do RH

Canal 2:
RH CORPORATIVO (supervisão do RH) diretoria, integração, iniciativas corporativas, carreiras de RH

Canal 4:
CENTROS DE EXPERTISE
(expertise do RH)

- Pessoas
- Desempenho
- Informação
- Trabalho

Equipe do projeto

Canal 5:
EXECUTORES OPERACIONAIS
Consultores
Gerente de projeto
Integradores e implementadores
Operadores táticos de área

Canal 3:
RH INTEGRADO
(Parceria de negócio estratégica)
Parceiro generalista

Gerentes de área

Canal 1:
CENTROS DE SERVIÇO
e-RH
Terceirização

Funcionários

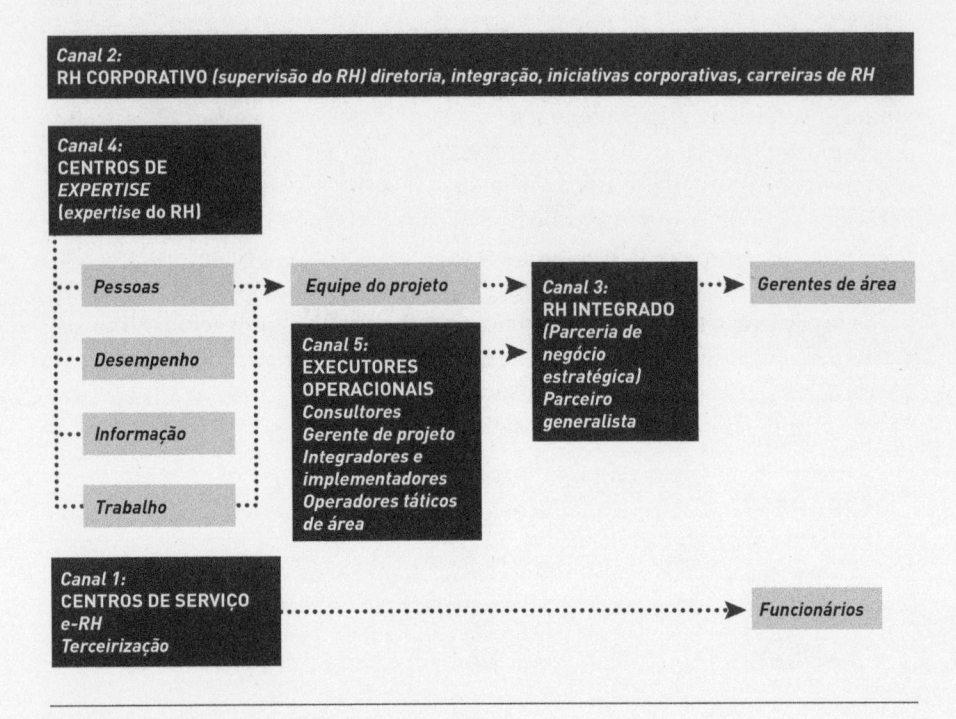

Figura 4.2 *Visão geral da organização do RH.*

Canal 1 do RH: centros de serviço

Os centros de serviço surgiram no final dos anos 90, quando os líderes de RH (e líderes de outras organizações funcionais tais como TI, finanças e compras) perceberam que muitas tarefas administrativas são desempenhadas de forma mais eficiente se forem centralizadas e padronizadas. O amadurecimento da tecnologia da informação também contribuiu para o crescimento dos centros de serviço e sua transferência para partes do mundo de menor custo (como Índia e Europa oriental). Como disse um executivo de RH: "Se podemos mover o trabalho de RH 400 metros, também podemos movê-lo 4.800 quilômetros". Os centros de serviço aproveitam as economias de escala para o trabalho de RH tradicional como os programas de atendimento ao funcionário, transferência da administração, processamento de pedidos de benefícios, inscrição e administração no plano de pensão, busca de candidatos, folha de pagamento e gestão do aprendizado. Os centros de serviço necessitam de uma padronização dos processos de

RH, reduzindo, dessa forma, a redundância e a repetição, e eles também podem, devido à tecnologia, ser acessados 24 horas por dia, sete dias por semana, de dentro ou de fora da empresa. A transformação dos centros de serviço surge principalmente com o autosserviço automatizado dos funcionários, a terceirização ou ambos.

Centros de autosserviço automatizado dos funcionários

A tecnologia projetada adequadamente permite que os funcionários administrem muito de seu próprio trabalho administrativo. O termo popular que surge dessa tendência é autosserviço. Os funcionários também podem cuidar de muitas transações rotineiras sempre que quiserem, pois os sistemas automatizados não têm horário de expediente. Calculamos que os próprios funcionários podem resolver 60% de suas dúvidas e transações de RH *online* – por exemplo, encontrar opções de investimentos em previdência privada. Para transformar as soluções baseadas em tecnologia, os profissionais de RH precisam estar cientes das seguintes opções:

Personalização e criação a partir do zero ou compra de um produto pronto

As empresas sempre se consideram únicas, porém, no mundo atual, é melhor evitar o projeto e a implementação de um portal de dados e serviço de RH exclusivo ou a personalização massiva de um deles. Uma empresa gastou milhares de horas criando um sistema exclusivo e concluiu que não era tão bom quanto algo que poderia ter comprado pronto por bem menos. Existem muitos produtos eficientes no mercado, e adaptar um deles é mais fácil e barato do que criar algo novo ou personalizar um sistema comprado.

Enfatizando a eficiência ou os relacionamentos pessoais com os funcionários

O objetivo do funcionário em muitas transações de RH é finalizá-la o mais fácil e rapidamente possível. Mas o RH não é como um banco de varejo, no qual os clientes fazem transações pelos caixas eletrônicos e evitam um relacionamento pessoal com o banco. É mais como um banco de investimento, na qual os relacionamentos são a melhor abordagem para a participação do cliente. O RH de relacionamento, projetado para criar lealdade entre os funcionários e a empresa, oferece igualmente a melhor abordagem para o cuidado com os funcionários. Grande parte disto – senão a maior parte – surgirá da implementação eficaz do trabalho de RH estratégico. Mas é importante criar no sistema informatizado de RH a opção para que os funcionários recebam ajuda de pessoas reais quando necessário.

Reunindo dados ou gerando informação

Um claro benefício do autosserviço é a capacidade de coletar dados sobre as tendências e necessidades. Por exemplo, saber quantos funcionários mais jovens e mais velhos utilizam o *e-learning* pode ajudar no planejamento e na comunicação com os funcionários. Mas os dados não melhoram a tomada de decisão a não ser que sejam usados. Os dados armazenados em arquivos e não totalmente utilizados nem precisam existir. As boas decisões de negócios começam com boas perguntas que exigem um *insight* e uma prospectiva gerencial. Então, a coleta de dados por meio de autosserviço tecnológico pode ser usada para avaliar alternativas e testar hipóteses.

Coletando dados ou mantendo a privacidade

Preocupações com a privacidade continuam a ser um grande desafio. Quanto mais dados acumulados, mais a empresa sabe sobre o funcionário e mais difícil é manter os dados protegidos. Apesar do acesso aos dados do funcionário 24 horas por dia, sete dias por semana, ser útil e conveniente, isso atrapalha os limites entre o trabalho e a vida social. Enquanto cada funcionário precisa encontrar maneiras de administrar esse equilíbrio, a tecnologia pode se tornar cada vez mais inoportuna e inibir o equilíbrio trabalho-vida que ajuda a dar aos funcionários objetivos e significados no trabalho e em casa.

Arquivando ou atualizando informações

Frequentemente, na criação de um sistema de informação de RH, o foco está na concepção do sistema e não na sua manutenção. Assim como novas criações necessitam de 15 ou 20% do custo total orçado para a manutenção anual, os investimentos de informática em RH deveriam considerar 15 ou

20% adicionais aos custos originais como um orçamento para operações anuais. Isso significa a atualização de informações no sistema bem como atualizações periódicas do próprio sistema.

Centros de serviço terceirizado

A terceirização baseia-se na premissa de que o conhecimento e a capacidade do processo são ativos que podem ser usados sem direitos de propriedade. A especialização do RH pode ser compartilhada por meio de alianças nas quais duas ou mais empresas criam juntas um serviço comum ou pela compra definitiva de fornecedores que se especializam em sua oferta. Na transformação do RH por meio de terceirização, os fornecedores levam vantagem de economias de conhecimento e de escala. As economias de conhecimento permitem que eles estejam a par das últimas pesquisas e tecnologias de RH. As economias de escala de processo tornam possível investir em instalações e tecnologias que não vão além das possibilidades reais de uma única empresa. Por isso, empresas como Hewitt, Accenture e Towers Perin são capazes de oferecer uma grande quantidade de serviços de RH com o objetivo de afastar as empresas-clientes da ideia tradicional de terceirizar para diversos fornecedores – um para a equipe de gerentes, outro para treinamento, outro para remuneração, e assim por diante – todos eles adotando abordagens diferentes.

As empresas que usam a terceirização do RH buscam soluções integradas em lugar de práticas isoladas. Apesar da terceirização nessa escala ser muito recente para que os resultados sejam definitivos, essas empresas já experimentaram diversos benefícios potenciais:

Redução de custos

A economia está variando de 15 a 20% – um valor substancial para grandes empresas que gastam em administração, por ano, uma média de $1.600 por funcionário. Empresas com 10 mil funcionários, por exemplo, podem calcular uma economia de $3,2 milhões por ano (20% de $1.600 por funcionário × 10.000 funcionários).

Padronização e simplicidade

A terceirização exige transações de RH consistentes. Muitas grandes empresas cresceram por meio de fusões e aquisições, acumulando diversos sistemas de RH. A simples contratação desse trabalho força um nível de consistência que poderia levar muitos anos para ser atingido internamente.

Crescente rapidez e qualidade do serviço

Como mencionamos, os fornecedores terceirizados geralmente contam com tecnologia e fazem as economias de escala permanecerem atualizadas com os novos desenvolvimentos. Com a terceirização eficaz, os funcionários geralmente percebem a real melhoria do serviço.

Foco do RH

A terceirização do trabalho de RH transacional permite que os profissionais de RH se concentrem em trabalhos mais estratégicos. Assim, a terceirização aumenta a possibilidade de que os profissionais de RH se tornem mais estratégicos no pensamento e na ação.

Quando a transformação acontece, esses benefícios precisam ser analisados ao longo de um tempo maior para confirmar o valor da terceirização. Não obstante, apesar dos primeiros indicadores mostrarem que a terceirização oferece retornos positivos, ela também traz riscos e armadilhas. Algumas organizações ficam muito satisfeitas com a terceirização de certas áreas do RH e outras tem tido más experiências com essas mesmas áreas. Descobrimos alguns desafios comuns para a terceirização: a escolha errada do fornecedor, a má administração de contratos, pouco investimento na gestão da mudança necessária para implementar a terceirização do RH, a administração dos diferentes papéis dentro da nova organização de RH, e a aceitação da perda do controle formal. Apesar desses riscos, acreditamos que as grandes empresas continuarão a terceirizar uma grande quantidade de transações de RH. As empresas pequenas provavelmente irão terceirizar práticas de RH individuais como a folha de pagamento e a concessão de benefícios. Os dois tipos de terceirização refletem o trabalho colaborativo que caracterizarão as organizações do futuro.

A transformação do RH por meio de centros de serviço exige cooperação entre os profissionais de RH e TI. O RH pode especificar o conteúdo ou as práticas que precisam ser administradas mais eficientemente e a TI pode projetar os sistemas para que isso aconteça.

Canal 2 do RH: RH corporativo (supervisão do RH)

O papel do RH corporativo pode ser redesenhado para tratar de seis importantes responsabilidades, as quais são analisadas nas seções a seguir:

- Criar cultura e identidade consistentes.
- Moldar os programas que implementam a agenda do CEO.
- Projetar processos para garantir que o trabalho do RH se alinhe com os objetivos do negócio.
- Servir de intermediário nas disputas entre os centros de *expertise* e o RH integrado.
- Assumir responsabilidade principal pelos serviços de RH dos funcionários em nível corporativo.
- Garantir o desenvolvimento profissional.

Primeiro, o trabalho dos profissionais de RH corporativo cria uma identidade cultural consistente para a corporação. Não importa quão diversificada é a estratégia do negócio, a não ser que a empresa seja realmente uma *holding* que funciona como um portfólio de investimento, um grande número de importantes *stakeholders* externos cria relacionamentos com a empresa. Os acionistas tendem a se preocupar principalmente com o desempenho geral; e os grandes clientes, que fazem muitos negócios com a empresa, tendem a se ocupar com diferentes divisões. Da mesma forma, a imagem da empresa é o que geralmente atrai potenciais funcionários para determinadas divisões. Os profissionais de RH corporativo criam ou reforçam a cultura e a reputação da empresa concentrando-se nos valores e princípios. Os gerentes de área têm os princípios, mas o RH corporativo é o grupo responsável pela institucionalização desses princípios.

Segundo, os profissionais de RH corporativos moldam os programas que implementam a agenda do CEO. A maioria dos CEOs tem uma agenda estratégica corporativa em geral baseada em globalização, inovação do produto, atendimento ao cliente ou responsabilidade social. Espera-se que os profissionais de RH corporativo convertam essa agenda em um plano de investimento e de ação, e que criem uma disponibilidade organizacional para comunicar essa agenda definindo as capacitações, projetando as práticas de RH e facilitando os planos de ação para transmitir o trabalho de RH por toda a corporação. O RH corporativo garante que as exigências de negócio compartilhadas resultem em princípios e práticas de RH compartilhados.

Terceiro, o RH corporativo é responsável por garantir que o trabalho de RH feito dentro da corporação esteja alinhado com os objetivos do negócio. O RH corporativo pode criar e administrar um processo claro de conexão entre a estratégia do negócio e o RH que pode ser adaptado a cada unidade. Os peritos do RH corporativo debatem a igualdade *versus* a diferença nas práticas de RH que preparam operações e negócios específicos. Isso é feito com mais facilidade quando há clareza sobre qual trabalho do RH é transformacional e qual é transacional. Além disso, o RH corporativo deve assegurar que a unidade de negócio do RH está envolvida na definição dos objetivos mensuráveis. Nas empresas altamente diversificadas, o RH corporativo provavelmente não irá ditar quais serão os objetivos mensuráveis, mas deveria assumir a responsabilidade de assegurar que os objetivos do RH estão definidos e os resultados estão medidos.

Quarto, os profissionais de RH corporativo servem como intermediários nas disputas entre os centros de *expertise* e o RH integrado (profissionais de RH dentro dos negócios ou das operações). Os centros de *expertise* se inclinam naturalmente na direção da consistência, enquanto que os profissionais de RH integrado preferem a flexibilidade e a escolha em troca das (aparentemente) exclusivas necessidades de seus *stakeholders*. O RH corporativo não terá uma resposta mágica ou uma fórmula uniforme para decidir quando padronizar as práticas e quando variá-las, mas pode criar fóruns para discussão dos *trade-offs*, para criação de alternativas e para a superação de desacordos, visando alcançar um compromisso satisfatório em que todos ganham. Chamamos esta administração de empurrada (centros de *expertise*) e puxada (RH integrado), que exige conversação e, às vezes, intermediação.

Quinto, os profissionais de RH corporativo assumem a principal responsabilidade de promover os funcionários de nível corporativo – um papel ao mesmo tempo igual e diferente do RH em qualquer outro lugar da empresa. Como todos os demais, os funcionários corporativos devem desempenhar seu trabalho de RH de transação por meio de centros de serviço ou de tecnologia. Porém, alguns funcionários corporativos são únicos, pois seu relacionamento com a empresa é visível e simbólico. Relatórios públicos de remuneração aos executivos, por exemplo, necessitam de um cuidado especial para garantir que mensagens corretas sejam comunicadas a todos os *stakeholders*, internos e externos. Os profissionais de RH de alto escalão frequentemente também desempenham papéis significativos na orientação de altos executivos, oferecendo conselhos que variam desde o estilo de liderança pessoal para lidar com transições dos funcionários-chave e questões de sucessão até observações e ajuda no desenvolvimento da cultura corporativa.

Finalmente, o RH corporativo é responsável por garantir o contínuo desenvolvimento profissional do RH. Com muita frequência, os profissionais de RH são as crianças descalças do sapateiro – projetando experiências de aprendizado e oportunidades de desenvolvimento para os outros, enquanto seguem sem investimento semelhante para seu próprio crescimento e desenvolvimento, por exemplo. A equipe corporativa de RH deveria prestar atenção às necessidades de crescimento dos profissionais de RH, particularmente daqueles ligados à transformação do RH. A mudança no impacto do RH faz seus profissionais desaprenderem antigos papéis e maneiras de trabalhar e aprenderem novos.

Quando o canal de RH corporativo é redesenhado, essas seis responsabilidades devem ser consideradas para que os profissionais de RH tenham uma clara expectativa.

Canal 3 do RH: RH Integrado (parceria estratégica de negócio)

Nas organizações de serviço compartilhado, alguns profissionais de RH trabalham em unidades organizacionais definidas pela localização geográfica, linha de produção ou funções, como P&D e engenharia. Esses profissionais de RH, a quem chamamos de "RH integrado", têm diversos títulos:

gerentes de relacionamento, parceiros de RH ou generalistas de RH. Qualquer que seja o título, eles trabalham diretamente com gerentes de área e com cada equipe de liderança da unidade organizacional para esclarecer a estratégia, realizar auditorias organizacionais, administrar talentos e organização, criar capacitações organizacionais que acrescentam valor, distribuir estratégias de RH de apoio e liderar suas funções de RH. No redesenho dos papéis dos profissionais de RH integrados, algumas de suas responsabilidades deveriam ser esclarecidas:

- Engajar-se e apoiar a avaliação e revisão da estratégia de negócio.
- Representar os interesses do funcionário e preocupar-se com as implicações das mudanças.
- Definir as exigências para alcançar os objetivos do negócio e identificar onde podem estar os problemas.
- Selecionar e implementar as práticas de RH mais apropriadas para a distribuição das estratégias do negócio.
- Medir e controlar o desempenho para ver se os investimentos de RH feitos pelo negócio distribuem o valor planejado.

No primeiro papel, os profissionais de RH integrados se engajam e apoiam a estratégia de negócio, oferecendo *insights* e ajudando os líderes a identificarem onde suas organizações podem e devem investir recursos para ganhar novas iniciativas de negócio ou melhorar o desempenho dos investimentos existentes. Eles ajudam a estruturar o processo de desenvolvimento de estratégia de negócio, são proativos no fornecimento de *insights* nas questões do negócio, tem uma opinião pessoal sobre o futuro do negócio e facilitam as discussões de desenvolvimento de estratégias de negócio na equipe de gestão. Como analisamos no livro *HR Competencies*, os resultados da mais recente pesquisa mostram que esse papel reflete a competência que, em outro lugar, chamamos de "arquiteto estratégico".

Enquanto apoiam a tomada de decisões estratégicas, os profissionais de RH também representam interesses dos funcionários ao destacar as implicações das escolhas estratégicas. Por exemplo, quanto da força de trabalho precisa ser reciclada, reorganizada ou redimensionada? Os profissionais de RH ajudam a desenvolver uma clara mensagem estratégica que pode ser comunicada aos funcionários e traduzida em ação. No processo, eles tomam cuidado com a tendência de conformidade, incentivando todos a participarem e avaliarem claramente as divergências enquanto buscam o consenso.

Ao longo da formulação da estratégia e do processo de implementação, os profissionais de RH integrados fazem uma auditoria da organização para definir o que é necessário para atingir os objetivos e localizar os problemas. Algumas vezes, este é um processo informal pelo qual os profissionais de RH refletem e levantam considerações sobre as capacitções de distribuição da estratégia. Como analisamos no "Capitalizando as capacitações", outras auditorias podem envolver uma análise formal de 360 graus para determinar quais são as capacitações necessárias e disponíveis diante da estratégia (ver Capítulo 3). Essas auditorias irão ajudar a avaliar a consistência entre a cultura corporativa interna e a cultura necessária para agradar os clientes e os investidores externos. Ao fazer essas auditorias organizacionais, os profissionais de RH integrados se associam aos gerentes de área e coletam dados para uma ação concentrada.

Baseado na informação da auditoria organizacional, os profissionais de RH integrados selecionam e implementam as práticas de RH mais adequadas para distribuir a estratégia do negócio. Ao fazer isso, espera-se que eles tragam um exclusivo conhecimento do negócio e de seu pessoal para selecionar as práticas que acrescentam valor, integrando-as para que distribuam capacitações e arranjando-as para garantir a implementação. Os profissionais de RH integrados obtêm orientação e apoio de especialistas de RH que estão presentes em centros de *expertise* e adaptam esses *inputs* para as exigências do negócio. Esse processo de acessar em vez de possuir os recursos significa que os profissionais de RH integrados devem ser favoráveis a influenciar e trabalhar em colaboração com colegas. Devem ser capazes de negociar com suas contrapartes de RH em centros de *expertise* que tenham agendas corporativas. Precisam ser eficientes na gestão de equipes múltiplas temporárias.

Finalmente, os profissionais de RH integrados medem e controlam o desempenho para ver se os investimentos feitos pelo negócio distribuem o valor pretendido. Os profissionais de RH integrados diagnosticam o que precisa ser feito, intermedeiam os recursos para que essas coisas sejam feitas e monitoram o progresso para certificar-se que foram feitas.

No redesenho do canal de RH integrado, essas responsabilidades devem ser delineadas e entendidas para que os profissionais de RH integrados saibam o que se espera deles.

Canal 4 do RH: centros de *expertise* (*expertise* do RH)

Os centros de *expertise* atuam dentro da empresa como empresas de consultoria especializada. Dependendo do tamanho do empreendimento, elas podem ser de toda a organização, regional ou baseada no país. Geralmente atuam como negócios que tem múltiplos clientes (unidades de negócio) utilizando seus serviços. Em alguns casos, uma taxa de uso ou uma fórmula de "cobrança retroativa" mais um encargo indireto por serviços básicos pode financiá-los. Os centros são operações que puxam a demanda – se os negócios não valorizam seus serviços, eles não continuam. Os profissionais de RH dos centros de *expertise* desempenham papéis importantes que devem ficar bem definidos em uma transformação de RH:

- Criar menus de serviço alinhados com as capacitações de condução da estratégia de negócios.
- Diagnosticar necessidades e recomendar os serviços mais apropriados para a situação.
- Colaborar com os profissionais de RH integrados na seleção e implementação dos serviços corretos.
- Criar novas ofertas de menus, caso as ofertas atuais sejam insuficientes.
- Administrar o menu.
- Conduzir a comunidade de aprendizagem dentro da organização.

Como consultores internos de projeto e processo, os profissionais de RH nos centros de *expertise* criam menus das melhores práticas de RH. Os menus fornecem opções do que foi feito ou poderia ser feito para obter recursos humanos de alta qualidade. Os profissionais de RH integrados devem escolher a partir desses menus, o que legitima as práticas de RH utilizadas em toda a empresa. Os profissionais de RH nos centros estarão constantemente atualizando e ajustando os menus, de acordo com as mais recentes pesquisas e experiências feitas dentro da empresa.

Da mesma forma, um segundo papel do profissional de RH do centro de *expertise* é trabalhar com profissionais de RH integrados para selecionar a prática ou intervenção corretas para determinadas situações. Por exemplo, digamos que um generalista de RH integrado perceba a necessidade de um programa de treinamento de fiscalização de primeira linha. O centro de *expertise* já deveria ter um menu de opções disponíveis para as organizações. O menu de opções poderia consistir de um *workshop* interno, alguns ministrados externamente (por meio de consultores ou de uma universidade local), um programa DVD autodirigido, exercícios individualizados de aprendizagem no computador, um exercício de *feedback* de 360 graus e outras experiências de desenvolvimento. Se não houver um menu, os especialistas em projeto montarão um, baseado em seu conhecimento da área e da empresa. Um especialista em processo leva esse menu para o profissional de RH integrado e o ajuda a diagnosticar a necessidade e selecionar o serviço mais apropriado para o negócio e para a situação, dando conselhos sobre a implementação das opções escolhidas. O profissional de RH integrado é responsável pela seleção e implementação das experiências corretas de desenvolvimento para a melhoria da supervisão de primeira linha.

Como um terceiro papel importante, o centro deve colaborar com o profissional integrado para fazer a seleção e no apoio da implementação. Se os profissionais de RH integrado e os profissionais de RH do centro de *expertise* concordam que os menus existentes não são suficientes, os especialistas em projeto criam novas soluções que depois serão adicionadas ao menu do empreendimento.

Este é o quarto papel: a criação de novas ofertas quando a lista atual for insuficiente ou inadequada para a necessidade. Em muitos casos, a necessidade de ofertas de menus adicionais será solicitada por uma aquisição da empresa ou decisão de diversificar e investir em novos negócios. Por exemplo, já mencionamos o crescimento da IBM nos serviços de consultoria globais. Quando a empresa mudou de produtos para serviços, novas ofertas de RH foram estabelecidas para responder às necessidades de mudança.

Isto indica o próximo papel do centro de *expertise* – administrar o tamanho e espaço do menu de processo ou serviço. Em geral, o tamanho do menu dependerá do grau de diversificação do negócio. Em diversificações relacionadas, os menus serão menores, garantindo que negócios diferentes usem práticas de gestão semelhantes. Em diversificações desvinculadas, os menus serão maiores, permitindo maior flexibilidade e escolha. Em todos os casos, o centro de *expertise* necessita administrar os limites do que é útil, aceitável e permitido. Como um exemplo muito simples, um grande banco regional realizou uma auditoria de suas práticas de treinamento e descobriu que doze diferentes programas eram usados em várias áreas da organização. O centro de *expertise* reduziu o número de doze para um, resultando em um melhor custo-benefício para a organização (melhor contratação) e a criação de uma linguagem comum e de uma base de habilidades em treinamento.

Finalmente, os centros de *expertise* também orientam a comunidade de aprendizagem dentro do empreendimento. Eles começam a aprendizagem quando os especialistas em projeto geram novas ideias para o menu, depois que os especialistas em processo generalizam a aprendizagem com o compartilhamento de experiências entre as unidades. Por exemplo, eles compartilham as experiências do treinamento de supervisão de uma unidade para outra para que cada negócio não tenha que criar seus próprios programas de treinamento. Os especialistas em processo podem transferir a aprendizagem, ou podem fazer com que a unidade organizacional solicitante comunique-se diretamente com aqueles que já efetuaram o trabalho anteriormente.

Um redesenho do RH deve assegurar que as responsabilidades ou centros de *expertise* sejam entendidos e aceitos, e que os profissionais de RH nesses papéis sejam capazes de atender a essas expectativas. As pessoas do centro têm que estar atualizadas com os processos e estruturas de RH que podem acrescentar valor ao negócio, ao mesmo tempo em que não devem ser vítimas do erro muitas vezes repetido de criar soluções à procura de problemas. O relacionamento entre as pessoas do centro e as que estão integradas no negócio é um elo importante para assegurar que isso não aconteça.

Canal 5 do RH: execução operacional

Um grande número de departamentos de RH tem tentado operacionalizar o modelo que descrevemos, mas muitos deles descobrem que parte do trabalho escorre pelo ralo. Embora se espere que os profissionais de RH integrados sejam estratégicos e façam a diagnose organizacional, muitas vezes eles se encontram exauridos pelo trabalho operacional, que entra em conflito com seu objetivo principal e os tornam incapazes de fazer contribuições de alto valor agregado. Eles relatam que gastam muito tempo fazendo investigações individuais (por exemplo, resolvendo questões disciplinares), executando tarefas operacionais (como o agendamento e a participação em entrevistas de recrutamento), fazendo análises e relatórios (como a gestão da folha de pagamentos) ou criando iniciativas (como orientação ao novo funcionário).

Normalmente, os centros de serviço não executam essas tarefas operacionais, pois elas exigem atenção pessoal; os centros de *expertise* não as realizam, pois geralmente elas necessitam de um conhecimento profundo e privilegiado do negócio e fortes relacionamentos internos; os gerentes de área não os executam, pois carecem de conhecimentos técnicos. Por isso, os profissionais de RH integrados se sentem atraídos por esse trabalho por seu volume, mesmo quando eles têm a habilidade e a autoconfiança para serem mais estratégicos e são incentivados a se concentrarem no seu papel transformacional.

O que falta em algumas reestruturações do RH é a capacidade de transmitir e implementar as táticas operacionais enquanto se mantém o foco nas questões-chave do negócio e do cliente. Quando esse trabalho operacional acontece de maneira ideal, por meio de uma equipe integrada, alguém precisa assumir a responsabilidade por essa equipe e pela maneira como atua. Estamos descobrindo que as empresas estão reagindo de diferentes maneiras à falta dessas exigências de implementação:

- Uma empresa estabeleceu o papel de "parceiro de negócio júnior", atribuído aos generalistas de RH ou parceiros de negócios. Esses indivíduos precisam transformar as ideias estratégicas em prática operacional dentro da empresa.
- Outra empresa criou uma equipe de consultores operacionais de RH que são designados para um negócio a fim de ajudar a transformar a estratégia de RH em ação. Eles focam o trabalho do projeto com ênfase na implementação de projetos específicos na empresa. O grupo de consultores consiste de profissionais de RH que são favoráveis a que as iniciativas de RH aconteçam. Em segundo lugar, o grupo de consultores serve de campo de testes e é preparatório para os indivíduos que são encarregados potenciais dos papéis de profissionais de RH incorporado de alto escalão.
- Outra empresa utiliza um consultor, oriundo do centro de serviço para fazer o acompanhamento das exigências do funcionário.

Todas essas empresas, e muitas outras, estão testando uma maneira de resolver um problema comum: *como certificar-se de que o RH implementa as mais avançadas estratégias modernas, personalizadas de acordo com as necessidades do negócio*. Chamamos isso de papel executor operacional. Esses profissionais de RH terão que combinar o que o negócio exige para o sucesso (conduzidos pelos profissionais de RH integrado) com práticas inovadoras e modernas (conduzidas pelos centros de *expertise*) em um plano operacional que pode ser executado de maneira oportuna.

As organizações que querem criar uma capacitação operacional de RH enfrentam alguns desafios que precisam ser tratados para que os esforços tenham bom resultado. Nossas discussões com os líderes de RH sugerem que os seguintes fatores são particularmente importantes:

Selecionar os indivíduos corretos

Os papéis operacionais de RH exigem um conjunto particular de competências. Esses papéis são melhores para as pessoas direcionadas para execução e implementação, e não para aquelas focadas em relacionamentos estratégicos (RH integrado) ou na criação de novos conhecimentos (centros de *expertise*). Entretanto, os papéis operacionais de RH também podem ser excelentes oportunidades de desenvolvimento, tanto para os profissionais integrados quanto para os dos centros de *expertise*. De fato, os departamentos de RH em empresas como United Technologies, Textron e Kellogg consideram o sucesso em um papel operacional como um passo necessário na qualificação para um papel mais estratégico. Acreditamos que, ao longo do tempo, as organizações de RH vão achar que o RH operacional atua melhor como uma mistura de *long-timers* (pessoas que gostam de fazer esse trabalho) e rodízio de recursos.

Desenvolver as habilidades necessárias para ter sucesso

As competências de gestão de projeto e implementação são importantes para os profissionais de RH operacional e também para as habilidades da equipe. Eles precisam entender rapidamente o que se espera. Precisam reunir os profissionais de RH integrado, os profissionais do negócio e do centro de *expertise* para esclarecer os objetivos, os papéis, as ações específicas e as medidas. Precisam fazer com que as mudanças aconteçam. Algumas habilidades de diagnóstico também são importantes; a construção de um plano de projeto deve, por exemplo, levar em consideração as dinâmicas situacionais (e muitas vezes políticas), juntamente com outras atividades concorrentes. As pessoas que trabalham no RH operacional não devem ser vistas simplesmente como pares de mãos para implementar, mas sim como previamente envolvidas no desenvolvimento de soluções.

Administrar prioridades e carga de trabalho

Uma tarefa importante é a escolha de quais projetos são apropriados para o RH operacional. O RH não tem recursos infinitos e é muito fácil utilizar seus escassos recursos operacionais em trabalhos de menos prioridade, que outros profissionais de RH não querem fazer. Isto é um erro, pois banaliza tanto o trabalho do RH operacional quanto as pessoas que fazem esse trabalho. Como resultado, esse pessoal de RH marginalizado irá sair. Também é um erro aplicar recursos de RH operacional de maneira que impeçam o envolvimento e comprometimento dos líderes de linha e outros funcionários.

Manter o foco no negócio

Sob todos os aspectos, o RH operacional deve manter um foco implacável em uma lógica de negócio que seja consistente com a lógica do portfólio de negócios corporativo. Independente do fato de a corporação ser uma única unidade de negócio diversificada ou uma empresa *holding*, o RH deve manter seu foco para fazer com que a lógica do negócio corporativo tenha sucesso.

Medir a contribuição

Como o RH operacional é orientado para projeto e implementação, o desempenho também deve ser medido baseado nesses quesitos.

Esse canal de execução operacional se tornará mais claro quando os profissionais de RH se certificarem de que os investimentos de RH transformam-se em capacitações que distribuem os pontos de vista e objetivos dos recursos humanos.

Conclusão: redesenhar o departamento de RH

Neste capítulo, explicamos uma abordagem em dois passos para redesenhar um departamento de RH. Primeiro, é preciso uma declaração clara da estratégia de RH: essa declaração resulta das respostas a três perguntas. (Quem somos? O que entregamos? E por que fazemos isso?) Ela se torna a base para futuros trabalhos de transformação. Segundo, redesenhar um departamento de RH significa compreender qual trabalho é estratégico e qual é transacional. Isso determina uma linha de base para esclarecer cinco canais pelos quais o trabalho de RH é distribuído. E isso também permite que você organize os canais de maneira que agregue o maior valor para o negócio. O redesenho do departamento avança quando as responsabilidades de cada um desses cinco canais estiverem definidas e em prática.

COMO FAZER A TRANSFORMAÇÃO?

A transformação do RH exige o esclarecimento da estratégia e da estrutura do departamento de RH e, além disso, foco na melhoria do trabalho dos recursos humanos. Neste capítulo, apresentamos um roteiro para as práticas de transformação de RH baseado em duas dimensões:

- *Conteúdo*: Qual é o trabalho do RH?
- *Processo*: Como o trabalho do RH pode ser melhorado e reformulado?

Essas duas dimensões se unem na Figura 5.1 para fornecer uma visão geral de como transformar as práticas de RH.

APRIMORANDO AS PRÁTICAS DE RH		PROCESSO – Maneiras de melhorar ou reformular as práticas de RH		
		ALINHAR	INTEGRAR	INOVAR
CONTEÚDO: Categorias das práticas de RH	PESSOAS			
	DESEMPENHO			
	COMUNICAÇÃO			
	TRABALHO			

Figura 5.1 *Roteiro para aprimorar as práticas de RH.*

Nas linhas horizontais, agrupamos o trabalho de RH em quatro categorias: pessoas, desempenho, comunicação e trabalho. Essa tipologia sintetiza a variada e complexa série de práticas de RH que representam o manual de estratégia de RH para hoje e para amanhã. Se o RH deve ser uma ciência de decisão, como John Boudreau e Peter Ramstad o descrevem, todos esses domínios da prática de RH precisam ser refinados e uma pesquisa deve ser feita, organizada e reunida. Nas colunas identificamos três maneiras de reformular as práticas de RH: alinhamento, integração e inovação. Quando combinadas, essas duas dimensões traçam um plano ou roteiro de como melhorar as práticas de RH. Transformar o RH é melhorar todas as práticas de RH de maneira alinhada, integrada e inovadora. Como observamos no Capítulo 1, quando as práticas de RH são minuciosamente definidas, a transformação fica limitada (por exemplo, focando só no talento ou só na pessoa), ou quando as práticas de RH são alinhadas com a estratégia, mas não são expressas como um todo integrado.

O trabalho de RH: quatro áreas da prática de RH

As pessoas falam sobre o trabalho de recursos humanos como atividades, sistemas, processos, decisões ou iniciativas. Preferimos falar sobre o trabalho do RH como um conjunto de práticas, porque uma prática é algo continuamente aprendido (praticamos piano ou esportes). Uma prática também é uma atividade dentro de uma profissão (a prática da advocacia) e o conceito de melhores práticas define uma atividade que proporciona um resultado melhor do que alguma outra. Transformar o RH pode significar alterar até 120 práticas diferentes de RH. No livro *The HR Value Proposition*, sintetizamos esse vasto conjunto de trabalhos de RH em quatro áreas, que representam os principais fluxos ou processos para o sucesso da organização.

- *Fluxo de pessoas*: O que acontece ao principal ativo da organização – seu pessoal – incluindo o modo como as pessoas se movem dentro, através, para cima e para fora da organização. A adequada atenção ao fluxo de pessoas assegura a disponibilidade e o desenvolvimento do talento de que a organização necessita para executar sua estratégia.

- *Fluxo de gestão de desempenho*: O que une as pessoas ao trabalho – os padrões e as medidas, as recompensas financeiras e não financeiras e o *feedback* que reflete os interesses do *stakeholder*. A adequada atenção a esse fluxo promove a responsabilidade pelo desempenho, definindo, registrando e recompensando-o – e penalizando a sua ausência.
- *Fluxo de informação*: Que informação as pessoas precisam para fazer seu trabalho e como elas obtêm a informação necessária. A informação pode fluir para cima, para baixo ou lateralmente. Pode fluir de fora para dentro ou de dentro para fora. A adequada atenção ao fluxo de informação assegura que as pessoas saibam o que está acontecendo e por que, e possam se dedicar ao que precisa ser feito para criar valor.
- *Fluxo de trabalho*: Quem faz o trabalho, como ele é feito, onde ele é feito e como ele é confirmado por meio de negócios e processos operacionais para combinar esforços individuais em resultados organizacionais. A adequada atenção ao fluxo de trabalho proporciona o controle, a responsabilidade e o ambiente físico que garantem resultados de alta qualidade.

As práticas de transformação do RH exigem que o reconhecimento de tendências emergentes em cada categoria e a revisão das práticas de RH sejam coerentes com essas tendências. Na área de RH de hoje, é tentador separar e isolar essas quatro correntes. Por exemplo, uma empresa poderia investir na gestão de talentos (contratação, promoção, retenção de pessoas), sem despender o tempo, o esforço e os recursos necessários para garantir que as pessoas tenham as informações internas e externas indispensáveis para altos níveis de comprometimento e desempenho. A transformação do RH fica incompleta sem o alinhamento, a integração e a inovação em todas as quatro categorias dos processos de RH. Em nossos seminários com líderes e profissionais de RH, descobrimos que somente as melhores empresas identificam a sinergia que elas poderiam conquistar se trabalhassem mais unidas. Por exemplo, em uma recente reunião na British Airways, especialistas funcionais das quatro áreas descobriram algumas maneiras de obter uma vantajosa colaboração entre a equipe (pessoas), a remuneração e os benefícios (desempenho), e o desenvolvimento organizacional (trabalho). Definições limitadas do trabalho de RH resultam em espaços limitados da transformação do RH.

Práticas de pessoal: fluxo de pessoas

As *práticas de pessoal* se referem ao talento dentro da organização. A gestão de talentos é o processo sistemático de criar e manter competências individuais que irão ajudar a empresa a produzir estratégias. Resumindo, empresas com melhores talentos serão mais bem-sucedidas. Um grande número de programas e investimentos tem sido feito para atrair, reter e melhorar o talento. Entretanto, algumas vezes, depois de determinar que o talento tem importância, é fácil distrair-se com tantas promessas, programas e processos, e perder o foco. Correndo o risco de uma simplificação grosseira, lembramos que, na verdade, há uma aparente fórmula simples de talento que pode ajudar a transformar as práticas de talento.

TALENTO = COMPETÊNCIA × COMPROMETIMENTO × CONTRIBUIÇÃO

Competência

Competência significa que as pessoas têm o conhecimento, a habilidade e os valores necessários para os trabalhos de hoje – e de amanhã. Uma empresa definiu competência como as *habilidades certas*, o *lugar certo* e o *trabalho certo*. A competência realmente importa, porque a incompetência leva a más decisões. Mas sem comprometimento, a competência perde o valor. Funcionários altamente competentes que não se comprometem são inteligentes – mas não trabalham muito. Transformar as práticas de RH relacionadas com a competência significa seguir quatro passos:

1. *Expor uma teoria ou definir um padrão.* O desenvolvimento da competência começa pela identificação das competências necessárias para transmitir um trabalho futuro. Em vez de focar no que funcionou no passado, comparando funcionários de alto e baixo desempenho, os padrões mais recentes de competência surgem da transformação das expectativas dos clientes futuros em exigências dos funcionários atuais. Um profissional de RH pode provocar um debate sobre essas questões, em qualquer nível da empresa:
    - Quais as competências sociais e técnicas *atuais* que temos em nossa empresa?
    - Quais as alterações ambientais que nosso negócio enfrenta, e quais nossas respostas estratégicas?

- Considerando nossas escolhas ambientais e estratégicas *futuras*, que competências técnicas e sociais os funcionários precisam demonstrar?

   Ao trazer à tona essas questões, os profissionais de RH ajudam os gerentes de área a criar uma teoria ou percepção em competências que levam a um conjunto de padrões para os funcionários. Quando os gerentes gerais criam modelos de competências baseados nas expectativas de clientes futuros, eles direcionam a atenção do funcionário para saber e fazer as coisas certas. O teste mais simples do padrão de competência é perguntar aos clientes-alvo ou clientes-chave: "Se nossos funcionários seguissem essas normas, eles inspirariam sua confiança em nossa empresa?" Quando os clientes respondem que sim, o modelo de competência é apropriado; se responderem que não, há necessidade de mais trabalho.

2. *Avaliar os indivíduos e as organizações.* Com os padrões definidos, é possível avaliar em que medida os funcionários atendem ou não a esses padrões. Atualmente, a maioria das avaliações de talento julga tanto os resultados quanto os talentos. Funcionários talentosos transmitem valor da maneira correta. A maneira correta é definida pelos padrões de competência descritos na etapa 1. Esses comportamentos podem ser autoavaliados, pelo funcionário e por outros, por meio de uma análise de 360 graus envolvendo subordinados, colegas e supervisores. Porém, para fornecer uma visão holística dos funcionários voltados ao exterior, eles também podem ser avaliados por pessoas de fora das organizações: fornecedores, clientes, investidores, líderes comunitários e outros *stakeholders* externos. Isso desloca a análise de 360 graus para uma de 720 graus (360 graus internamente + 360 graus externamente = 720). Essa avaliação ajuda o indivíduo a saber o que fazer para melhorar e também fornece informações valiosas para a organização sobre como projetar e transmitir práticas de RH para aperfeiçoar o talento. Também ajuda os funcionários a conectarem seus trabalhos com os componentes externos que, em última instância, definem o valor da empresa.

3. *Investir em aperfeiçoamento de talentos.* Lacunas individuais e organizacionais podem ser preenchidas com o investimento em talentos. Em nosso trabalho, descobrimos seis tipos de investimento que podem ser feitos para aperfeiçoar o talento:

- *Comprar (buy):* recrutamento, seleção e retenção de novos talentos nas organizações.
- *Criar (build):* ajudar as pessoas a crescer por meio de treinamento, no trabalho ou por meio de experiências de vida.
- *Copiar (borrow)*: Acrescentar conhecimento à organização por meio de consultores ou parceiros.
- Enquadrar *(bound)*: Promover as pessoas certas para os trabalhos-chave.
- *Demitir (bounce)*: Excluir, de seus trabalhos e da organização, os funcionários de baixo desempenho, caso não se enquadrem em algum lugar.
- Prender *(bind)*: Reter os talentos.

Quando os profissionais de RH criam escolhas nessas seis áreas, ajudam as pessoas e as organizações a investir em talento futuro.

FERRAMENTA 5.1	*Visão geral dos Seis Bs*
	Obtenha mais informações sobre os Seis Bs e outros recursos que podem ajudá-lo a alinhar suas práticas de RH com sua estratégia de negócio.
	▶ *Acesse www.TransformHR.com*

4. *Acompanhar e controlar a competência.* Apenas desejar o talento não faz com que ele apareça. Na verdade, você precisa de medidas de talento que controlem a maneira como os indivíduos estão desenvolvendo suas habilidades e como a organização desenvolve seu banco de talentos. Funcionários individuais podem ser procurados com base no seu entendimento da próxima etapa da carreira e de sua capacidade de fazer. As organizações podem controlar até que ponto os *backups* estão disponíveis para posições-chave. Os líderes, avaliados por quanto dinheiro geram para sua empresa, também podem ser avaliados pela sua capacidade de produzir talentos, e não apenas de consumir de talento.

Essas quatro etapas básicas ajudarão os profissionais de RH e gerentes a transformar a qualidade das pessoas ou o talento de sua organização.

Comprometimento

Competência não é suficiente. Comprometimento significa que os funcionários estão querendo dedicar sua energia de forma irrestrita para o sucesso da empresa, respondendo às proposições de valor que a empresa precisa oferecer: os funcionários que dão valor à sua organização devem receber valor em troca. A capacidade de transmitir valor existe quando os funcionários são vistos como capazes de entregar resultados da maneira certa.

Esses funcionários que transmitem valor devem receber valor em troca. Em muitos estudos de envolvimento dos funcionários, os pesquisadores identificaram o que os empregados recebem em troca de seu trabalho com a empresa. Quase todas as empresas de consultoria têm índices de engajamento que podem ser usados como uma verificação de pulso para controlar o comprometimento do funcionário. Geralmente, esses instrumentos mostram que os funcionários são mais comprometidos quando suas organizações lhes oferecem:

- *Visão*: sentido de direção ou objetivo.
- *Oportunidade*: possibilidade de crescer, desenvolver e aprender.
- *Incentivos*: salário justo pelo trabalho realizado.
- *Impacto*: possibilidade de ver o resultado ou o efeito do trabalho realizado.
- *Comunidade*: colegas, chefes e líderes que criam um senso de objetivo, identidade e experiência compartilhada.
- *Comunicação*: saber o que está acontecendo e por quê.
- *Empreendedorismo ou flexibilidade*: uma série de escolhas sobre termos e condições do trabalho.

Quando essas sete dimensões estão presentes em uma organização, sugerimos que os funcionários tenham uma VOI^2C^2E. Eles demonstram seu comprometimento ao chegar ao trabalho no horário, trabalhar muito e fazer o que se espera deles. O comprometimento (não apenas a satisfação) pode ser mensurado com pesquisas ou índices de produtividade.

FERRAMENTA 5.2	*Visão geral do VOI^2C^2E*
	Obtenha mais informações sobre o uso do modelo VOI^2C^2E e outros recursos que podem ajudá-lo a apoiar e fortalecer seus funcionários de tal forma que eles fortalecem os outros.
	▶ *Acesse www.TransformHR.com*

Contribuição

Descobrimos que a próxima geração de funcionários pode ser competente (capaz de fazer o trabalho) e comprometida (determinada a fazer o trabalho), mas a não ser que eles realmente contribuam por meio do trabalho (encontrem uma razão e objetivo), seu interesse no que estão fazendo diminui e seu talento se esvai. Uma de nossas colegas se formou em uma das melhores escolas de administração (um substituto para competência) e conseguiu o emprego ideal, no qual pretendia trabalhar muito (comprometimento). Porém, cerca de um ano depois, apesar de ainda gostar do emprego e querer trabalhar muito, deixou-o porque achou que não satisfazia suas necessidades.

Muitas pessoas estão descobrindo que as organizações em que as necessidades das pessoas eram tradicionalmente atendidas (famílias, vizinhanças, grupos de *hobby*, igrejas) estão enfraquecidas. À medida que os funcionários trabalham mais horas e utilizam tecnologias que removem muitas fronteiras do trabalho e da vida, as empresas precisam aprender como ajudá-los a satisfazer suas necessidades. Quando as pessoas têm suas necessidades atendidas por meio de suas organizações, elas reconhecem que estão contribuindo e, por isso, encontram plenitude em suas vidas.

Já obtivemos resultados de psicologia positiva e de desenvolvimento, motivação individual, crescimento pessoal, equipes de alto desempenho e teoria organizacional para descobrir o que as organizações e líderes podem fazer para que os funcionários encontrem a plenitude. Aprendemos que os funcionários reconhecerão suas próprias contribuições e perceberão a plenitude em seus trabalhos se os líderes os ajudarem a responder estes oito grupos de perguntas:

- *Quem sou eu?* Como a identidade do funcionário combina com a reputação da empresa?
- *Para onde vou e por quê?* Como a organização pode ajudar os funcionários a atingir seus próprios objetivos?
- *Com quem viajo?* Como a organização cria uma comunidade de apoio para que os funcionários se conectem uns com os outros?
- *De que modo pratico a espiritualidade?* Como a organização cria um ambiente de trabalho positivo baseado em termos de humildade, serviço, perdão e reconhecimento, ao invés de hostilidade, autointeresse e política?
- *Que desafios eu aprecio?* Como a organização ajuda os funcionários a encontrar desafios fáceis, agradáveis e intensos?
- *De que modo posso acessar os recursos?* Como a organização ajuda os funcionários a administrar a saúde, o espaço e as exigências financeiras?
- *Quais são as minhas fontes de encantamento?* Como a organização ajuda os funcionários a se divertir?
- *Como administro as transições?* Como a organização ajuda os funcionários a administrar as transições associadas às mudanças?

Quando os gerentes ajudam os funcionários a encontrarem respostas para estas perguntas, por meio de sua participação na organização, os funcionários encontrarão plenitude em suas vidas e reconhecerão que estão contribuindo para algo que cria plenitude no mundo.

Resumo das práticas das pessoas

Nesta equação de talento, a competência, o comprometimento e a contribuição são multiplicativos, e não complementares. Se um deles falta, os outros dois não irão substituí-lo – um milhão de vezes zero ainda é zero. Assim, uma pontuação baixa em competência reduzirá drasticamente o talento, mesmo quando o funcionário está engajado e colaborando. Os funcionários talentosos devem ter habilidade, vontade e objetivo. Precisam ser capazes, comprometidos e colaboradores. Resumindo, a competência trata da cabeça (ser capaz), o comprometimento trata das mãos e dos pés (estar ali) e a contribuição trata do coração (simplesmente ser). Os líderes de RH podem engajar seus gerentes gerais para identificar e aperfeiçoar cada uma dessas três dimensões a fim de responder ao mandato por grande talento.

Práticas de desempenho: fluxo da gestão de desempenho

As práticas de desempenho transformam resultados desejados em objetivos e incentivos mensuráveis que motivam as pessoas a atingirem tais objetivos. Os critérios básicos para a gestão de desempenho são responsabilidade, transparência, integridade e justiça. *Responsabilidade* significa que as práticas de gestão de desempenho deveriam unir o comportamento individual e de equipe e resultar em objetivos claros. *Transparência* significa que as recompensas financeiras e não financeiras são percebidas e públicas. *Integridade* significa que as práticas de gestão de desempenho cobrem toda a gama de comportamentos e objetivos necessários para o sucesso empresarial global. *Justiça* significa que aqueles que produzem mais recebem mais. Quando as práticas de gestão de desempenho são transformadas de acordo com esses critérios, elas ajudam a criar valor. A transformação das práticas de gestão de desempenho pode ser feita em quatro etapas.

Etapa 1. Esclarecer a estratégia e as prioridades: ser claro sobre o que se quer

Algumas vezes, na busca por estratégias que respondam a ambientes de negócio complexos, os líderes criam uma complexidade estratégica. A primeira etapa na gestão de desempenho é a transparência sobre a estratégia da organização, sobre as prioridades do desempenho e sobre o que se está procurando realizar. Recentemente, fomos convidados a fazer uma apresentação no terceiro dia de uma reunião estratégica fora da empresa. No primeiro dia, a equipe principal revisou suas metas financeiras com mais de 150 eslaides em PowerPoint. No segundo dia, analisou um número semelhante de eslaides sobre os clientes. Quando começamos o terceiro dia, estávamos tentados a produzir outros 150 eslaides sobre o pessoal e a organização. Em vez disso, pedimos que cada um respondesse a uma pergunta básica: "Em vinte palavras ou menos, qual a sua estratégia?" Quando pressionados a simplificar as complexas apresentações financeiras e de clientes, não era possível chegar a um simples acordo e consenso. Antes de entrar nas práticas de RH para implementar a estratégia, descobrimos que precisávamos criar uma clareza estratégica. Chamamos isso de criar uma história estratégica que ofereça uma narrativa simples, mas clara, sobre o que a empresa está tentando fazer.

Etapa 2. Estabelecer padrões: definir o que mensurar

Geralmente, em vez de medir o que é certo, medimos o que é fácil. Uma vez esclarecida a estratégia, podem ser criados padrões e medidas compatíveis com a estratégia. Para definir os padrões certos, consideramos úteis as seguintes perguntas:

- Se esta estratégia é eficiente, veremos mais _____ e menos _____. Preenchendo os espaços em branco você provavelmente chegará a padrões mensuráveis relacionados à estratégia.
- Como podemos equilibrar os padrões de comportamento e de resultados dos indivíduos e das equipes? Esta pergunta ajuda a equilibrar os padrões corretos de acordo com a estratégia.
- Que medidas prioritárias devemos estabelecer? Esta pergunta ajuda a focar os padrões e as medidas mais importantes de acordo com a estratégia.
- Que metas de superação devemos estabelecer? Esta pergunta define normas para realizações no futuro que fornecem mais do que aquilo que temos no presente.
- Quem deve estabelecer e monitorar os padrões? Esta pergunta concentra-se no processo de definição das normas, que cria propriedade dos padrões estabelecidos.

Essas perguntas ajudam a concentrar normas nas questões certas e levam à propriedade desses padrões. Um teste simples dos padrões certos da gestão de desempenho pode ser feito com clientes e investidores, ou com ambos. Se você tivesse ido aos principais *stakeholders* externos e mostrado as metas estabelecidas, eles concordariam que iriam preferir comprar produtos ou investir em sua empresa porque você atinge essas metas? Se afirmativo, seus padrões estão medindo as coisas certas; se não, estão errados.

Etapa 3. Retribuições do desenho: consequências desejadas e não desejadas

Quando alguém atende seus padrões, deve haver recompensas financeiras e não financeiras. Como Bruce Ellig destaca, as recompensas financeiras têm implicações econômicas, psíquicas e sociais; e para cada funcionário há uma importância diferente. Economicamente, o dinheiro permite que os funcionários desenvolvam um estilo de vida adequado às suas necessidades. Psiquicamente, o dinheiro fornece um sentimento de valor pessoal e autoestima. Socialmente, o dinheiro determina uma hierarquia social e um papel de legitimidade em grupos de colegas. Transformar recompensas financeiras significa fazer escolhas sobre esses cinco tipos de rendimentos:

- *Dinheiro em curto prazo.* Uma compensação imediata em dinheiro ou do salário-base ajuda os funcionários a criar e manter um estilo de vida. O salário-base geralmente reflete estabilidade na organização, no cargo ou no desempenho.
- *Remuneração baseada em incentivos.* Esses incentivos são bônus variáveis em dinheiro baseados em contribuições de curto prazo ou desempenhos únicos significativos. O bônus de médio prazo mais comum é a comissão sobre vendas, e esse tipo de recompensa comprovou ter sucesso em uma ampla variedade de funções de trabalho. Os bônus geralmente representam de 10 a 150% da remuneração total em dinheiro, colocando em risco o pagamento para reduzir a tendência comum de subotimizar para obter resultados imediatos.
- *Patrimônio de longo prazo.* O patrimônio de longo prazo, na forma de opção de compra de ações (o direito de comprar ações a um preço fixo, independente do valor atual de mercado), permite que os funcionários tenham lucro enquanto a empresa ganha valor de mercado. Quanto mais alto for o preço da ação, mais alto o valor da opção.

As recompensas não financeiras também são uma parte importante das práticas de gestão de desempenho da transformação. Essas recompensas incluem símbolos de *status* (cargo, título), políticas de força de trabalho, benefícios (assistência a saúde e educação), serviços de recepção (transporte, serviço de carros), envolvimento em forças de trabalho visíveis e importantes, acesso ao poder e influência, e outros benefícios que não colocam dinheiro nos bolsos dos funcionários. Quando essas recompensas financeiras variam, baseadas em quanto um funcionário alcança os padrões, elas têm mais impacto do que se forem aleatórias ou uniformemente aplicadas.

Etapa 4. Acompanhamento: certifique-se de que a gestão de desempenho continue

O *acompanhamento* – tanto o *feedback* nas atividades anteriores quanto o que Marshall Goldsmith admiravelmente chama de *feedforward* sobre o que é preciso – é importante para o desempenho. Ninguém progride sem uma autoavaliação honesta. Aqui estão algumas das opções de *acompanhamento*:

- *Conversa informal*. Conversa informais geralmente são menos onerosas e mais eficazes do que uma avaliação formal baseada em formulários e procedimentos. Em um ambiente casual – num jogo de basquete, caminhando pelo corredor ou no horário de almoço, – um comentário sobre desempenho pode propor o assunto e levar a uma conversação produtiva. Isso ajuda a fazer da gestão de desempenho uma forma de vida na empresa, em vez de (como diz nosso colega Steve Kerr) uma experiência de "atos não naturais em locais não naturais".
- *Fornecimento de dados*. As pessoas não podem corrigir o que não veem. Forneça mapas e gráficos que mostrem as receitas, os lucros, a participação do cliente e outros dados, tanto os de toda a empresa quanto, na medida do possível, os das unidades de trabalho individuais. Mostre exemplos específicos de comportamentos pessoais que precisam ser corrigidos.
- *Deixe as pessoas tirarem suas próprias conclusões*. Os dados são mais importantes quando a empresa os divulga e pede a opinião dos funcionários. Quando as implicações são avaliadas pelos próprios funcionários, há um maior engajamento e eles trabalham para melhorar os resultados conforme necessário. As perguntas geralmente geram mais ideias do que respostas.
- *Explique o por que, não o quê*. Quando os funcionários entendem por que, aceitam o quê. Funcionários que entendem por que algo deve acontecer tem mais disposição para trabalhar e para fazer acontecer do que quando somente lhes dizem o que fazer.
- *Faça*. A parte mais difícil do *acompanhamento* é acompanhar. O papel do RH é garantir que o fornecimento de *feedback* para os funcionários seja parte da avaliação de desempenho de cada supervisor e líder de equipe.

Na transformação das práticas de desempenho, pode-se seguir cada uma dessas etapas para aperfeiçoar a gestão de desempenho.

Práticas de informação: fluxo de informação

As organizações precisam administrar o fluxo interno de clientes, os acionistas, as informações econômicas e regulatórias, tecnológicas e demográficas para certificar-se de que os funcionários reconheçam e adaptem-se às realidades externas. Precisam também gerir o fluxo interno de informação ao longo de fronteiras horizontais e verticais. Os profissionais de RH, devido à sua sensibilidade para com as pessoas e os processos, são muito adequados para ajudar com os dois fluxos de informação.

O fluxo de informação se concentra em como você fará a comunicação, dentro ou fora da organização. Na transformação das estratégias de comunicação, você precisa responder cinco perguntas:

- *Qual é a mensagem?* Seja claro sobre a mensagem que você quer comunicar, isto é, mantenha a mensagem simples e concentrada.
- *Quem deve transmitir a mensagem?* Escolha a voz mais eficaz para a mensagem, quer líderes *de alto escalão* ou locais, ou ambos.
- *Quem deve receber a mensagem?* Decida quem precisa ouvir a mensagem: funcionários nos vários níveis da organização, *stakeholders* externos (clientes, investidores, comunidades, famílias dos funcionários) ou todos.
- *Quando a mensagem deve ser comunicada?* A época oportuna é importante. Quando os funcionários têm conhecimento de grandes anúncios sobre a empresa por meio da imprensa, e não por meio da administração, eles se sentem desligados da empresa e tendem a perder a disposição e o comprometimento.
- *Como devemos comunicar a mensagem?* Decida se é melhor transmitir as ideias pessoalmente (em entrevistas isoladas ou em pequenas ou grandes reuniões) ou de forma impessoal (por meio do *website* da empresa ou transmissão de vídeo).

Abordando essas cinco perguntas, as práticas de informação podem ser transformadas para transmitir mensagens consistentes de maneira significativa. Essas práticas difundem informação tanto dentro da organização (de cima para baixo, de baixo para cima e de lado a lado) quanto fora da organização (de e para os clientes e investidores).

Transformar as práticas de informação ajuda os *stakeholders* a saberem o que está acontecendo em uma organização e por quê. Mensagens consistentes transmitidas repetidamente irão ajudar a criar uma agenda compartilhada dentro da organização.

Práticas de trabalho: fluxo de trabalho

As organizações devem gerir o fluxo de trabalho advindo de demanda por produtos ou serviços por meio do seu atendimento, para certificar-se de que suas obrigações são atendidas. Para isso, elas distribuem metas para os indivíduos e grupos, e definem estruturas organizacionais e de trabalho para integrar os variados resultados em um todo cooperativo. Projetam processos para o trabalho e estabelecem um ambiente físico que proporcione trabalho eficaz e eficiente. Os profissionais de RH são totalmente aptos para ajudar em todos os aspectos deste processo.

O primeiro desafio envolve o projeto organizacional. Aqui, a tarefa é garantir que as escolhas estratégicas do negócio conduzam a opções de projeto organizacional. Explicamos isto no gráfico mostrado na Figura 5.2 na próxima página.

FERRAMENTA 5.3	*Planilha de avaliação de estratégia*
	Faça o *download* da Planilha de Avaliação de Estratégia.
	▶ *Acesse www.TransformHR.com*

A figura mostra que as opções estratégicas no lado esquerdo levam a respostas organizacionais em torno de unidades de negócio individuais, enquanto que, no lado direito, levam a empresas *holding*. A maioria das empresas está no meio, com alguma forma de diversificação.

INDÚSTRIA: *até que ponto funcionamos prioritariamente em ...*

uma indústria ◄···► diversas indústrias

Baixo ◄······ ① ············ ② ············ ③ ············ ④ ······► *Alto*

CLIENTES: *até que ponto atendemos ...*

um único tipo de cliente ◄·····························► diferentes tipos de cliente

Baixo ◄······ ① ············ ② ············ ③ ············ ④ ······► *Alto*

CONCORRENTES: *até que ponto concorremos com ...*

um concorrente dominante ◄·····················► diferentes concorrentes
em todos os mercados   em todos os mercados

Baixo ◄······ ① ············ ② ············ ③ ············ ④ ······► *Alto*

TECNOLOGIA: *até que ponto usamos ou criamos ...*

tecnologias similares ◄···► tecnologias diferentes

Baixo ◄······ ① ············ ② ············ ③ ············ ④ ······► *Alto*

PRODUTO: *até que ponto produzimos ...*

um produto ou serviço semelhante ◄·············► produtos ou serviços diferentes

Baixo ◄······ ① ············ ② ············ ③ ············ ④ ······► *Alto*

CULTURA: *até que ponto ...*

temos uma cultura compartilhada ou ◄·············► incentivamos uma cultura
comum nas unidades da organização   diferente em cada unidade
                                                    da organização

Baixo ◄······ ① ············ ② ············ ③ ············ ④ ······► *Alto*

A média de sua pontuação leva a uma resposta organizacional.

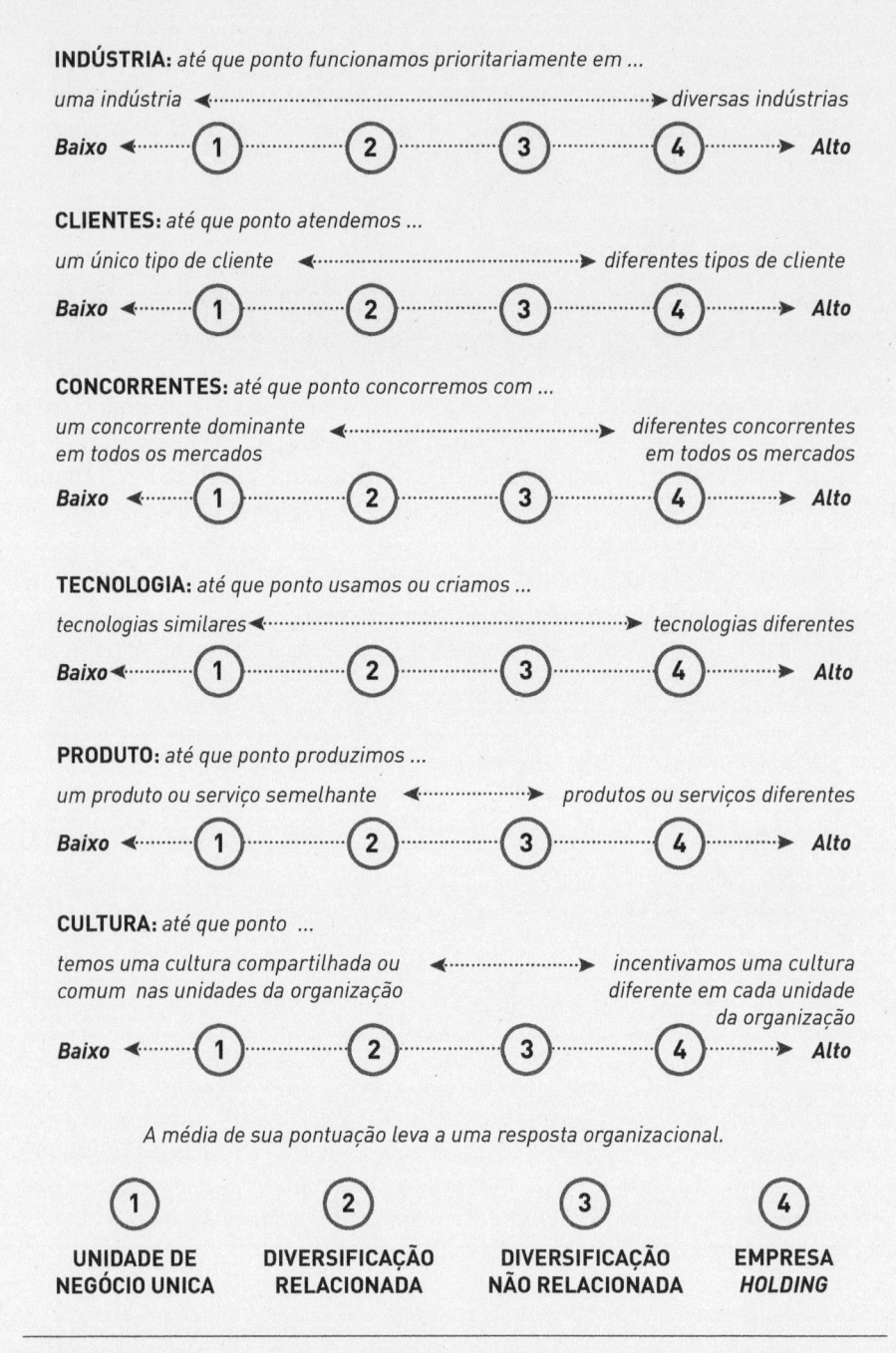

①	②	③	④
UNIDADE DE NEGÓCIO UNICA	**DIVERSIFICAÇÃO RELACIONADA**	**DIVERSIFICAÇÃO NÃO RELACIONADA**	**EMPRESA** *HOLDING*

Figura 5.2 *Opções estratégicas e respostas estruturais.*

Além do desenho organizacional, a transformação do RH pode focar nos processos de trabalho, no controle e no ambiente físico. O aperfeiçoamento do processo significa que o RH pode ajudar a reformular os processos do negócio. Esses esforços de transformação significam fazer um fluxograma e uma racionalização de como o trabalho é feito em áreas relacionadas com clientes, fornecedores, operações ou serviço. Como analisado no Capítulo 4, o RH pode trazer à tona as discussões sobre a redução do trabalho de baixo valor agregado: processos supérfluos, reuniões ineficientes, papelada e relatórios inúteis, e tempo de espera para as aprovações.

O *controle* se refere a como as decisões são tomadas e implementadas na organização. Isso pode envolver questões relacionadas aos padrões de tomada de decisões de cima para baixo *versus* de baixo para cima. Também se refere à rapidez com que são tomadas as decisões e se as decisões têm um foco de curto ou de longo prazo. O RH pode agregar valor ajudando a direção a identificar onde a tomada de decisão é feita da melhor maneira. Isto envolve descobrir respostas para as seguintes perguntas: Quem tem a informação relevante? Quem deve se responsabilizar pelas decisões? Quem deve se responsabilizar por sua implementação? Como envolvemos esses três grupos de indivíduos para tomar decisões-chave?

O ambiente físico trata de espaço. Algumas vezes isso se refere a paredes, espaço do escritório e cadeiras – recursos que podem ser modulares e flexíveis, ou fixos e restritos. Outras vezes, as questões de espaço envolvem iluminação, quadros, cores e outras disposições do escritório. O espaço físico envia uma mensagem sobre a cultura de sua organização e molda a maneira como as pessoas trabalham juntas.

Coletivamente, esses quatro fluxos do trabalho do RH podem ser transformados para assegurar que o RH alcance os resultados dos quais falamos. Nossa experiência nos diz que geralmente um ou dois desses setores são atualizados sem dar atenção ao resto do modelo. Isso é como correr com três pneus vazios e um cheio, o carro não vai andar bem.

Processo: maneiras de aprimorar as práticas de RH

Há três maneiras de transformar as práticas de RH para que elas possam ter o máximo impacto: alinhar, integrar e inovar.

Alinhar

Para que as práticas de RH tenham impacto, elas precisam estar alinhadas com a estratégia da organização. Reveja os recursos de que sua organização necessita para se sobressair (ver Capítulo 3). Você tem uma declaração clara e elegante da estratégia do negócio e as capacitações organizacionais necessárias para fazer a estratégia acontecer? A questão então é: *Em que medida cada uma de suas práticas de RH apoia o desenvolvimento dessas capacitações?* Considerando o ritmo de mudança e o esforço necessário para mudar os processos existentes, não deveria ser surpresa se algumas das práticas de RH não se alinhassem tão rigorosamente com a estratégia da organização como você gostaria. Uma maneira de aprimorar as práticas de RH é alinhá-las com os mesmos critérios para garantir que elas conduzam a estratégia por meio de capacitação. A não ser que elas estejam claramente unidas a essas três coisas, ou não as faça ou então as modifique. Daí é que vem o poder real.

Integrar

Quando os sistemas de RH trabalham juntos, com uma estratégia unificada para alcançar os mesmos resultados, eles têm um impacto substancial no resultado do negócio. Se suas práticas de RH estiverem alinhadas com os mesmos critérios, a integração será mais fácil. Frequentemente, observamos que organizações contratavam pessoas por habilidades A, B ou C. Depois, a estratégia mudava e eles passavam a treinar as pessoas para fazerem D, E e F. Enquanto isso, continuavam a pagar pessoas para fazerem G, H e I, ao mesmo tempo em que comunicavam a importância de se fazer J, K e L.

A integração significa que suas práticas de gestão de desempenho, práticas de talento, práticas de remuneração, práticas de projeto organizacional e outras práticas de RH apresentam um ponto de vista consistente e se concentram na maneira como sua organização administra seus recursos humanos. A ideia é assegurar comunicações de fora para dentro para que as pessoas mantenham sua linha de visão para os *stakeholders* importantes. Com essa linha de visão, a gestão de desempenho pode garantir que todas as pessoas entendam o que precisam fazer, como precisam fazê-lo e a necessidade de fazê-lo. O modo como eles fazem o que precisam e a maneira como desempenham seu trabalho da forma desejada farão parte da informação abrangida nas análises de talento. Essa informação também se tornará uma contribuição para seu aprendizado, para os seus planos de desenvolvimento e suas expectativas de remuneração.

O RH terá recursos disponíveis para intervir nas organizações que estão se esforçando para atender as expectativas de desempenho a fim de ajudá--las a desenvolver habilidades ou redesenhar estruturas ou processos para que sejam capazes de atender essas expectativas. Em outras palavras, os recursos humanos irão administrar o tempo e a energia das pessoas na organização, de maneira tão concentrada quanto qualquer outro recurso valioso e raro. Isso é feito pela integração de todas as práticas que influenciam a maneira como as pessoas distribuem seu tempo e energia no trabalho.

Ao influenciar a contribuição dos recursos humanos da organização, os resultados da prática de RH são baseados em sinergia, o todo deve ser maior do que as partes. Nossa pesquisa mostra uma tendência que nos preocupa: a recompensa e as práticas de talento estão se separando cada vez mais. Essa tendência está quase levando a desalinhamentos e desconexões que influenciam a capacidade da equipe de RH de maximizar a contribuição das pessoas em suas organizações, e nossa pesquisa indica que isso é um problema real. Quando você procurar saber que práticas abordar e como administrá-las, tenha cuidado para reduzir as interdependências de modo que melhore a eficiência, mas reduza a contribuição total.

Transformar as práticas de RH é muito mais do que simplesmente fazer melhorias incrementais em cada uma. Em um estudo fascinante, Mark Huselid e seus colegas identificaram as práticas de RH de alto valor e pediram a empresas para que classificassem seus desempenhos nessas práticas. Depois, ele correlacionou esses dados com o desempenho financeiro e encontrou três níveis em que o desempenho das práticas de RH teve um impacto significativo no desempenho total das empresas. Primeiro, na extremidade baixa (entre 0 e 20 de um total de 100), as práticas de RH tiveram um impacto positivo mensurável no desempenho da empresa porque os líderes de negócio e os funcionários estavam entusiasmados em ter o apoio do RH, depois de viver tanto tempo sem. Segundo, no nível médio (de cerca de 20 a 75 ou 80), as melhorias nas práticas de RH pareceram ter pouco ou nenhum impacto nos resultados do negócio. Terceiro, assim que o nível alcançou 75 ou 80, ou mais, as práticas de RH mais uma vez começaram a ter um impacto significativo. Os líderes de RH precisam ter paciência e resiliência para desenvolver um sistema completo de práticas de RH estratégicas e, dessa maneira, superar a barreira dos 80, a partir da qual o RH tem um impacto significativo nos resultados do negócio.

A transformação do RH não deve acontecer de forma isolada. Os quatro setores que propomos devem ser de uma abordagem coordenada e integrada, e não fragmentada e aleatória.

Inovar

Para inovar, você precisa manter-se em dia com as mais recentes inovações das práticas de RH, em seu setor e na comunidade mais ampla de RH. O que seus prósperos concorrentes estão fazendo e como? O que os principais pensadores estão descobrindo sobre gerar impacto com a prática? As inovações, tanto práticas quanto teóricas, deveriam ser examinadas em comparação com as capacitações que você está tentando impulsionar: essa inovação tornará prática de RH mais eficiente na criação da conectividade com o cliente? Se afirmativo, você deve adaptar (não adotar) a inovação – usá-la de uma forma determinada para se adequar à sua cultura e às suas metas. Nem sempre essas inovações vão dar certo. Esse é o risco da inovação. Mas o "fracasso rápido" não é ruim, se você aprender com ele e se ajustar.

Fazer a mudança: transformando as práticas de RH

Você pode usar o roteiro na Figura 5.1 de duas maneiras: focando no conteúdo (as quatro categorias da prática de RH) ou no processo (as quatro maneiras de aprimorar as práticas de RH). Resista à tentação de se concentrar em apenas uma (ou poucas) das células, sem prestar atenção às outras. Todas as doze células são importantes.

Em um esforço de transformação do RH, é importante identificar quais práticas e processos contribuirão mais para atingir os resultados desejados da iniciativa. Comece reunindo uma lista de práticas dentro de cada grupo de trabalho. Avalie cada prática utilizando um instrumento, como a Planilha de Avaliação de Práticas de RH, no www.TransformHR.com. Identifique as práticas que rapidamente o levarão para os pontos de impacto da prática de RH discutidos anteriormente e assegure que essas práticas recebam o foco necessário durante a transformação do RH.

Capítulo 5 – Como Fazer a Transformação?

Para transformar as práticas de RH, comprometa sua organização interna, seu grupo de redesenho do processo e sua equipe de liderança do RH. Muitas empresas julgaram útil identificar e contratar um consultor externo para focar no processo de planejamento a fim de que a equipe de RH possa se concentrar nos conteúdos relacionados ao plano. Organize as práticas de RH centrais, crie um plano mestre de RH de concepção de sistemas, crie recomendações de projeto para cada prática, estabeleça resultados e medidas desejadas para cada prática afetada, crie conceitos inovadores de *design* de práticas, alinhe a prática com outras práticas corporativas e de RH, consolide as recomendações de *design* e crie planos de implementação, e execute as mudanças de acordo com as modificações nas pessoas e no departamento.

FERRAMENTA 5.4	*Transformação das práticas de RH*
▶	Escute Jon Younger descrever como ele ajudou muitos departamentos de RH a transformarem suas práticas para alinhá-las com as necessidades do cliente. Em especial, preste atenção na perspectiva exclusiva de Jon sobre como ligar o talento aos clientes.
	▶ *Acesse www.TransformHR.com*

INVISTA NOS PROFISSIONAIS DE RH

6

A transformação do RH depende fundamentalmente da qualidade dos profissionais de RH. E as exigências aumentaram para esses profissionais de RH, pois existem os desafios de entender todo o contexto do negócio (Fase 1), definir importantes resultados relacionados ao negócio (Fase 2) e redesenhar o departamento e as práticas modernas de RH (Fase 3). No novo mundo dos desafios do RH, as antigas competências não são mais suficientes. O que era necessário para o sucesso dos recursos humanos no passado mudou com os novos desafios abordados neste livro. Neste capítulo, ampliamos o modelo para criar competências de quatro etapas introduzidas no Capítulo 5:

- *Etapa 1: Articule uma teoria ou defina um padrão.* Prepare uma declaração sobre padrões exigidos para o sucesso dos profissionais de RH.
- *Etapa 2: Avalie indivíduos e organizações.* Estabeleça uma metodologia para determinar de que maneira os profissionais de RH atingem ou não os padrões exigidos.
- *Etapa 3: Invista no aprimoramento do talento.* Prepare um portfólio de atividades de desenvolvimento destinado a aprimorar os profissionais de RH.
- *Etapa 4: Acompanhe e controle a competência.* Desenvolva uma metodologia para integrar as mudanças necessárias para que os profissionais de RH respondam às crescentes expectativas.

Seguindo esse modelo, você pode aprender a criar as competências dos profissionais de RH a fim de que eles possam responder às crescentes expectativas.

Etapa 1: teoria e padrões

Esta é a pergunta-chave: que padrões são necessários para que os profissionais de RH sejam bem-sucedidos?

Por mais de 20 anos, uma de nossas principais ocupações foi definir o que significa ser um profissional de RH bem-sucedido. Durante esse tempo, descobrimos diversas maneiras de determinar os elementos essenciais da eficácia. Falamos sobre os papéis do RH (a identidade e a reputação), as atividades do RH (o trabalho diário) e as competências do RH (conhecimento, habilidade e capacidades dos profissionais). Acreditamos que os papéis e as atividades se unem para formar as competências dos profissionais de RH, conforme esboçado na Figura 6.1.

Recomendamos que as empresas concentrem seu desenvolvimento profissional do RH nas suas competências, que acreditamos estarem integradas às funções e atividades. Porém, estivemos em algumas empresas que preferem definir o RH eficaz pelas funções ou atividades. Se uma empresa quer aumentar a reputação de seus profissionais de RH, as funções podem ser um bom ponto de partida. Se uma empresa quer aumentar o trabalho diário do RH, as atividades poderiam ser esse ponto de partida. Porém, nos dois casos, acreditamos que as competências do RH que sugerimos integrem tanto as funções quanto as atividades. Por isso, definimos o RH eficaz por meio das competências que examinamos e avaliamos.

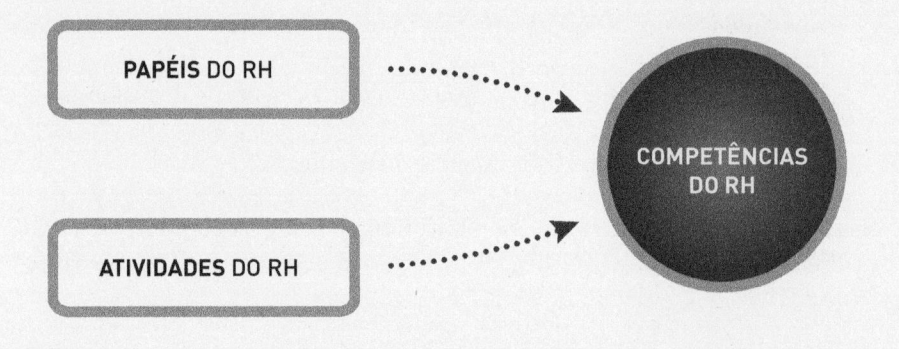

Figura 6.1 *Formação da eficácia do RH.*

Neste capítulo, discutimos brevemente as funções e atividades, depois nos concentramos nas competências necessárias para os profissionais de RH.

Funções de RH

Desenvolvemos nossa definição das funções dos profissionais de RH que transmitem valor, mas as premissas básicas permaneceram iguais. Uma função representa uma identidade ou imagem de um indivíduo, conforme visto por ele e pelos outros. Este conceito pode ser concretizado na finalização da seguinte frase: *Para agregar valor como profissional de RH eu preciso ser um _____.*

Em nosso trabalho para o livro *HR Champion*, definimos quatro funções, cada uma delas ligada ao resultado que os profissionais de RH deveriam transmitir:

- O *campeão do empregado* concentra a atenção em ajudar os funcionários a desenvolver competências, gerar comprometimento e descobrir contribuição.
- O *especialista administrativo* transmite práticas de RH com eficiência.
- O *agente de mudança* ajuda a organização a se adaptar às novas condições.
- O *parceiro estratégico* alinha as práticas de RH com as estratégias do negócio.

Para que os profissionais de RH sejam eficientes, é necessário que as quatro funções sejam desempenhadas em uma organização de RH, mas um profissional de RH pode ser mestre em apenas uma função, enquanto compreende e apoia as outras três. Alguns líderes de RH podem se movimentar em direção às funções estratégicas e de mudança, ignorando as funções de campeão do empregado e especialista administrativo, que ameaçam a credibilidade do RH. Quando o básico não é bem feito, o impacto estratégico dura pouco.

Assim como as condições de negócios mudaram ao longo da última década, também houve mudanças nas funções de RH. Assim, transformamos essas quatro funções originais, mostradas na primeira coluna da Figura 6, nas cinco mostradas na segunda coluna.

Tabela 6.1 *Evolução dos papéis de RH*

FINAL DOS ANOS 90	FINAL DOS ANOS 2000	EVOLUÇÃO DO PENSAMENTO
Campeão do empregado	Advogado do empregado (AE)	Os funcionários estão cada vez mais críticos em relação ao sucesso das organizações. O AE concentra-se no funcionário de hoje.
	Desenvolvedor de capital humano (CH)	O desenvolvedor de capital humano (CH) concentra-se em como os funcionários se preparam para o futuro.
Especialista administrativo	Especialista funcional	As práticas de RH são fundamentais para o valor do RH. Algumas práticas de RH são transmitidas por meio de eficiência administrativa (como a tecnologia) e outras, por meio de políticas, orientações e intervenções, aumentando o papel do especialista funcional.
Agente de mudança	Parceiro estratégico	O papel de parceiro estratégico tem múltiplas dimensões: especialista de negócio, agente de mudança, gerente de conhecimento e consultor. O papel de agente de mudança representa apenas uma parte dele.
Parceiro estratégico	Parceiro estratégico	A visão foi aumentada para abranger as dimensões que antes eram atribuídas aos papéis de parceiro estratégico ou de agente de mudança.
	Líder	A soma dos quatro primeiros papéis se equivale a liderança, mas ser um líder de RH também tem implicações na direção das funções de RH, na integração do trabalho de outras funções, na garantia da governança corporativa e no monitoramento da comunidade de RH.

Fonte: Dave Ulrich, *Human Resource Champions*

Os profissionais de RH são *advogados do empregado*, responsáveis por garantir que o relacionamento empregador-empregado tenha um valor recíproco. Hoje, além de defender os empregados, eles criam a mão de obra futura como *desenvolvedores de capital humano*. Os profissionais de RH também são *especialistas funcionais*, projetando e transmitindo as práticas de RH que garantem a aptidão individual e criam capacitação organizacional. Como *parceiros estratégicos*, eles ajudam os gerentes de área de todos os níveis a atingir suas metas. Os profissionais de RH trazem *know-how* de negócios, mudanças, consultoria e aprendizagem à sua parceria com os gerentes de área, para que juntos criem valor. E para interligar todos papéis, precisam ser verdadeiros *líderes* – dignos de confiança tanto para suas próprias funções quanto para as funções externas. Quando os cinco papeis são desempenhados dentro do departamento de RH, os seus profissionais têm mais impacto.

Ações do RH

O trabalho diário do RH se concentra no que os profissionais de RH poderiam fazer para preencher os diversos eventos de seu calendário. O calendário poderia conter reuniões individuais ou de equipe, visitas, reuniões para solução de problemas ou um tempo de reflexão pessoal. Em cada um desses fóruns, descobrimos que os profissionais de RH executam quatro atividades: *coaching*, arquitetura, planejamento, comunicação e facilitação.

Coaching

Recentemente, *coaching* se tornou um movimento dentro do RH, quase uma mania. Profissionais de RH (e consultores externos) orientam os líderes de negócio individuais para que pensem e melhorem seu desempenho. Vemos dois modelos de *coaching* diferentes, mas relacionados: comportamento e resultados. O *coaching* baseado no comportamento concentra-se no que os líderes fazem e como fazem. O *coaching* baseado em resultados concentra-se em ajudar os líderes a esclarecer os resultados que esperam transmitir. Nas interações diárias, os profissionais de RH orientam aqueles com quem trabalham ganhando credibilidade, escutando atentamente, aconselhando com inteligência e fazendo observações diretas e francas.

Arquitetura

Os arquitetos de casas ou edifícios transformam estilos e experiências de vida em estruturas tangíveis e duráveis nas quais as pessoas vivem. Como arquitetos organizacionais, os profissionais de RH transformam ideias gerais e genéricas em projetos tangíveis e duráveis para ações organizacionais. Eles sempre procuram a agenda estratégica da empresa e tentam prever suas implicações para uma agenda organizacional. Executam diagnósticos organizacionais, adaptando um modelo organizacional à estratégia do negócio. Os profissionais de RH geralmente tratam de desafios imediatos e de crises, mas devem estar cientes da ampla arquitetura organizacional que estão construindo.

Desenhando e transmitindo

Os profissionais de RH desenham e transmitem práticas de RH. Como analisamos no Capítulo 5, os profissionais de RH alinham, integram e inovam práticas de RH que irão contribuir para o sucesso da empresa. Para desenhar e colocar em prática tais condutas, os profissionais de RH precisam estar atualizados sobre teorias, pesquisas e práticas. Precisam saber adaptar princípios gerais a circunstâncias específicas. O trabalho diário do RH geralmente é feito em explosões de curto prazo e combates a incêndios, mas a eficiência e eficácia do RH se tornam mais sustentáveis quando esse trabalho é feito com práticas sistemáticas de RH.

Facilitação

Como facilitadores, os profissionais de RH estão sintonizados com o processo de macro e micromudanças. No nível micro, eles promovem as reuniões de equipe e as sessões de planejamento. No nível macro, promovem a mudança de sistema de grande escala. Em muitas organizações, os desejos de mudança são maiores do que as ações. Em qualquer organização, fazer as mudanças ocorrerem exige não apenas foco no que deve ser mudado, mas também gestão do processo de obter aceitação e apoio para a mudança. Como facilitadores, os profissionais de RH podem ajudar a negociar não apenas o que deve ser mudado, mas em como proceder para que ocorra a mudança desejada. Nas interações diárias, os profissionais de RH devem ter um registro sobre como o auge de diversas atividades mantém a organização se movendo em direção ao sucesso de longo prazo.

Quando os profissionais de RH orientam, arquitetam, projetam, transmitem e apoiam, eles se transformam de agentes seguidores reativos em contribuintes de negócios proativos. Do mesmo modo que precisam lidar com as exigências diárias, também precisam progredir em termos de contribuição para o maior sucesso organizacional.

Competências profissionais do RH

Agrupamos o trabalho das funções e atividades de RH em um quadro coerente de competências de RH. Nos últimos 20 anos, recorremos ao Estudo de Competências de Recursos Humanos para avaliar, periodicamente as competências que compõem o sucesso do RH. Na rodada mais recente deste estudo, feita em 2007, identificamos as competências necessárias para os profissionais de RH com base em dados de pouco mais de 10.000 pessoas ao redor do mundo. Nossas descobertas estão resumidas na Figura 6.2.

Esta figura mostra que, para se obter sucesso como profissional de RH, é necessário administrar pessoas (estar sintonizado com as dimensões humanas da empresa) e negócios (dominar as exigências do negócio). Dentro dessas duas dimensões, nossa pesquisa identificou seis domínios de competência que levam ao profissionalismo eficaz de RH.

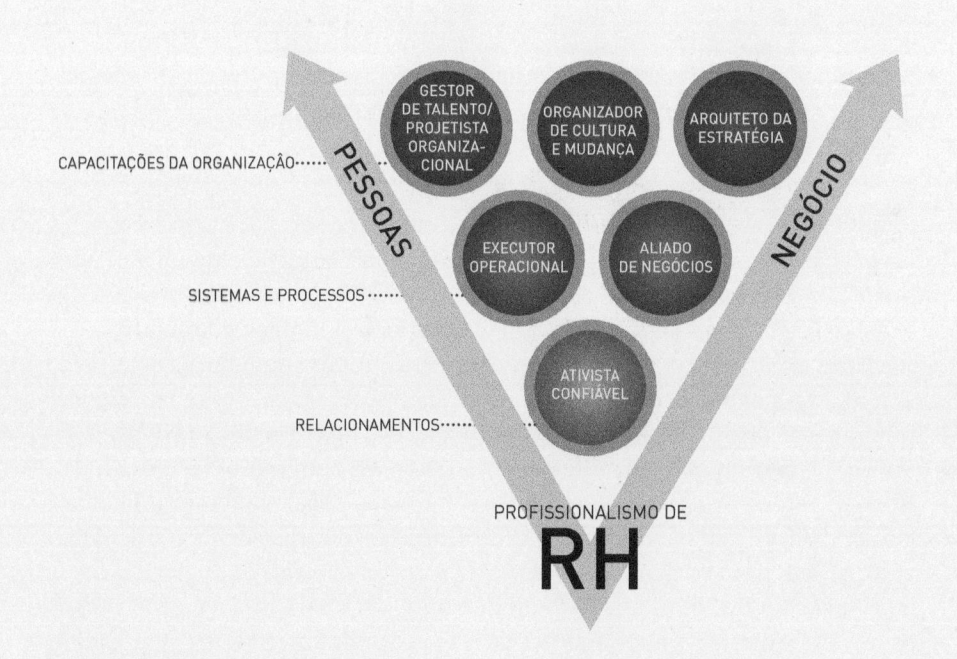

Figura 6.2 *Atributos-chave do RH.*

FERRAMENTA 6.1	Visão geral das competências do RH
▶	Ao longo dos últimos 20 anos, Dave Ulrich e Wayne Brockbank coletaram a maior base de dados do mundo em competências de RH que têm impacto positivo sobre o sucesso do negócio. Ouça Wayne descrever os resultados da última rodada de coleta de dados e as implicações para os profissionais de RH.
	▶ Acesse www.TransformHR.com

Ativista confiável

Os profissionais de RH mais eficazes são dignos de crédito (respeitados e admirados) e ativos (emitem opinião, decidem qual é sua posição, desafiam hipóteses). Alguns chamam isso de "RH com atitude". Os profissionais de RH que são dignos de confiança, mas não são ativistas, são admirados, mas têm pouco impacto. Os ativistas que não são confiáveis tem ideias que ninguém implementa. A credibilidade o faz subir no eixo das pessoas, o ativismo faz isso no eixo do negócio. Ambos são necessários para o RH transformacional. Na qualidade de ativistas confiáveis, os profissionais de RH criam resultados de negócios sustentáveis enquanto unem as dimensões das pessoas e do negócio com energia, *insight*, sensibilidade e impacto.

Organizador de cultura e mudança

Os profissionais de RH mais eficazes avaliam, articulam e ajudam a moldar a cultura de uma empresa. Cultura é um padrão de atividades e não um evento único. Em condições ideais, essa cultura começa com clareza em torno de expectativas externas (identidade ou marca da empresa) e depois traduz essas expectativas para os funcionários internos e para os comportamentos organizacionais. Como organizadores de cultura, os profissionais de RH respeitam a cultura antiga e também ajudam a moldar uma nova. Eles orientam os gerentes no modo como suas ações refletem e formam cultura, tecem padrões culturais em práticas e processos de RH e tornam a cultura real para os funcionários. Além disso, os profissionais de RH bem-sucedidos facilitam a mudança ajudando a fazer com que a cultura aconteça e desenvolvendo disciplinas para que a mudança ocorra em toda a organização. Isto pode incluir a implementação de estratégia, projetos ou iniciativas. Eles ajudam a transformar o que é conhecido em o que é feito.

Gestor de talento e projetista organizacional

Os profissionais de RH mais eficazes dominam a teoria, a pesquisa e a prática, tanto na gestão de talento quanto no projeto organizacional. A gestão de talento se concentra nas exigências da competência e no modo como os indivíduos entram e se movem para cima, através e para fora da organização. O projeto organizacional se concentra em como uma empresa incorpora capacitações (por exemplo, colaboração ou inovação) na estrutura, nos processos e nas políticas que moldam o modo como ela funciona. Os profissionais de RH deveriam garantir que os recursos de gestão de talento e capacitação organizacional estejam alinhados com a estratégia, integrados entre si e trabalhando de maneira eficiente e eficaz. O RH não é apenas talento ou organização, também se refere aos dois juntos. Um bom talento não se sustentará sem uma organização de apoio, e uma organização não agrega valor sem indivíduos talentosos com as competências adequadas nas funções importantes.

Arquiteto da estratégia

Os profissionais de RH mais eficazes têm uma visão sobre como a organização pode trabalhar e ganhar o mercado, agora e no futuro. Os profissionais de RH desempenham um papel ativo no estabelecimento da estratégia geral para transmitir essa visão com sua participação ativa na criação de estratégias. Eles também transformam a estratégia em práticas de RH que resultam em capacitações organizacionais. Asseguram que os comportamentos dos líderes sejam compatíveis com a estratégia por toda a organização. Ajudam a mostrar como a estratégia transporta os funcionários para dentro e os clientes para fora. Administram o processo de quem está envolvido em desenvolver e distribuir a estratégia.

Executor operacional

Os profissionais de RH mais eficazes executam os aspectos operacionais da gestão de pessoas e da organização. As políticas precisam ser traçadas, adaptadas e executadas. Os funcionários também têm muitas necessidades administrativas (por exemplo, precisam ser contratados, treinados, realocados e pagos), e os profissionais de RH asseguram que essas necessidades básicas sejam tratadas de forma eficiente, com uma tecnologia perfeita, com serviços compartilhados ou com terceirização. Este trabalho operacional do RH assegura credibilidade quando executado sem falhas e baseado na consistente aplicação de políticas. Os profissionais de RH pedem e recebem *feedback* contínuo dos funcionários sobre a exatidão, rapidez e receptividade de todos os processos e práticas administrativas do RH.

Aliado de negócio

Os negócios têm sucesso ao definir metas e objetivos que respondam às oportunidades e ameaças externas, e ao executar planos de ação que alcancem esses fins. Os profissionais de RH devem contribuir para o sucesso de um negócio, conhecendo o contexto social ou ambiente no qual seu negócio opera. Eles também sabem como o negócio é lucrativo, o que chamamos de *cadeia de valor do negócio*: quem são os clientes, por que eles compram os produtos ou serviços da empresa e como a empresa se organiza para atender às exigências do cliente. Finalmente, eles têm uma boa compreensão do processo de negócio interno, da proposição de valor das várias funções (finanças, *marketing*, pesquisa e desenvolvimento, e engenharia), do que essas funções precisam realizar e a como trabalham juntas, para que possam ajudar o negócio a se organizar para ter lucro. Eles podem passar por um teste de conhecimento do negócio sobre como a empresa funciona.

Resumo: padrões para o sucesso profissional do RH

Ao transformar os profissionais de RH, o primeiro passo é ser claro sobre o que se espera para o sucesso na área. Considerando as funções e atividades, podemos especificar seis competências que definem os padrões para os profissionais de RH. Esses seis setores de competência de RH definem o que é preciso para ser um profissional de RH eficaz, bem como as expectativas e padrões para os profissionais de RH de alto impacto.

FERRAMENTA 6.2	*Pesquisa sobre as competências do RH*
	Faça o *download* de um resumo conciso do estudo RBL/Competências de RH da Universidade de Michigan e também do primeiro capítulo do livro HR Competencies (2008).
	▶ *Acesse www.TransformHR.com*

Etapa 2: Avaliação

Esta é a pergunta-chave: como sabemos se os profissionais de RH atendem aos padrões que se esperam deles?

Uma vez definidos os padrões, os profissionais de RH precisam saber de que maneira eles os atendem. De acordo com os padrões, existem maneiras formais e informais de avaliar o desempenho. Informalmente, os bons profissionais de RH sempre buscam *feedback*. Observam como os outros respondem a ele, pedem sugestões de como podem melhorar em áreas específicas de habilidades de RH, fazem sérias autorreflexões para saber o que funciona e o que não funciona. Os profissionais de RH deveriam procurar padrões para saber como são observados pelos outros. Algumas destas perguntas podem ajudá-lo em sua avaliação informal de suas próprias habilidades.

- Quais são alguns dos desafios mais comuns que enfrento quando tento realizar meu trabalho?
- Como as pessoas geralmente reagem?
- Que trabalho eu considero fácil, estimulante e agradável?
- Que trabalho me entusiasma? Que trabalho evito fazer, por meio de adiamento e transferência?
- O que preciso reduzir ou acrescentar para agregar mais valor para meus clientes internos e externos?
- Quem são as pessoas em quem eu mais confio? Estou disposto a pedir-lhes sugestões de como posso melhorar?
- Como reajo quando recebo *feedback*? Sou capaz de processar a informação sem tornar-me defensivo?

Olhar no espelho honestamente e ver o que realmente está ali ajuda os profissionais de RH a conhecerem seus pontos fortes e fracos.

Os profissionais de RH também podem buscar *feedback* formal para saber como estão indo. Algumas dessas avaliações podem ser feitas com testes de personalidade e outros testes de autoconhecimento. O acesso à autoavaliação pode vir de experiências pessoais (por exemplo, a pesquisa *online* para ter acesso a avaliações de personalidade) ou por intervenções formais da empresa (por exemplo, fazendo uma avaliação pessoal, como parte de uma iniciativa corporativa). Um segredo que descobrimos para utilizar essas avaliações pessoais é não exagerar ou subestimar. Seria exagero mudar imediatamente os comportamentos e as ações sem considerar o modo como as descobertas se aplicam à situação imediata. A falta de reação seria desconsiderar a informação com igual falta de imaginação. Também é importante estar ciente de que a autoavaliação espontânea geralmente é distorcida. Em geral, temos mais facilidade de identificar nossos pontos fortes do que os pontos fracos.

Assim, é importante receber *feedback* de diferentes fontes, o que conhecemos como processos de *feedback* de 360 graus. A maioria dos profissionais de RH já fez uma análise de 360 graus da qual recebeu *feedback* de vários *stakeholders*: colegas, subordinados, supervisores e clientes. Se estes dados apresentam padrões, eles podem ajudar os profissionais de RH a verificar como são vistos pelos outros, onde são fortes e onde precisam melhorar. Por exemplo, orientamos um profissional de RH promovido a um cargo de liderança, mas que, em vez de conviver com os colegas, continuou a conviver com os subordinados. O *feedback* de 360 graus que recebia dos subordinados era maior do que o dos colegas ou supervisores. Com essa informação, o novo executivo conseguiu entender os comportamentos exigidos na nova função.

Aqui estão algumas lições que aprendemos ao receber o *feedback* de 360 graus:

- Procure padrões nos dados e evite a concentração excessiva em eventos específicos.
- Ocasionalmente, faça análises de 360 graus para que você possa comparar-se consigo mesmo e monitorar as melhorias pessoais ao longo do tempo.
- Não tente adivinhar quem disse o quê.
- Concentre-se em um ou dois comportamentos específicos que você melhorar.
- Sempre que possível, compare-se com grupos maiores de profissionais de RH para que você veja o que está fazendo em relação à comunidade mais ampla.

Ao examinar os dados de 360 graus, também é útil avaliar as predisposições de toda a comunidade de RH. Às vezes, os departamentos de RH têm padrões que aparecem nas análises normais de 360 graus. Em uma empresa, descobrimos que quase nenhum dos profissionais de RH era um aliado de negócio. Toda a comunidade de RH teve uma pontuação menor do que o padrão nacional para o conhecimento do negócio. Quando compartilhamos esses dados com a equipe de RH sênior, eles decidiram dar início a um programa de instrução de negócios para toda a comunidade de RH.

FERRAMENTA 6.3	*Avaliação das competências do RH*
	Assegure que você está focado no desenvolvimento das habilidades corretas para seus profissionais de RH, avaliando-as e, depois, comparando os dados de sua organização com o padrão global. Faça o *download* de um relatório modelo da Avaliação de competências de RH 360 do RBL.
	▶ *Acesse www.TransformHR.com*

Também fizemos avaliações mais profundas, baseadas em comportamento, nos quais um entrevistador treinado coleta dados sobre o comportamento de um profissional de RH, de uma pessoa ou de diversos *stakeholders*-alvo. Esta intervenção comportamental é mais profunda e conta com uma entrevista inicial com o profissional de RH, com duração de duas a seis horas. Os entrevistadores se concentram nos padrões de comportamento que os indivíduos demonstraram ao longo de suas vidas, enfatizando o modo como obtiveram sucesso e o que causou algum tropeço. Uma informação semelhante é coletada pessoalmente entre 10 a 30 *stakeholders*, concentrando-a em pontos-chave e na barreira que está causando restrições ao sucesso individual. Uma vez coletados os dados, os avaliadores reúnem uma série de relatórios que descrevem a história da carreira do indivíduo, destacam os pontos fortes e as necessidades de desenvolvimento, e fornecem um plano de desenvolvimento altamente personalizado. Esse plano pode incluir uma ampla variedade de recomendações, desde a leitura diária do *Financial Times*, férias na China ou uma nova missão de negócios, em que o indivíduo poderá tratar de necessidades especiais de desenvolvimento. Essas rigorosas avaliações geralmente são reservadas para avaliar a disponibilidade dos executivos pretendentes a altos cargos, ou para o desenvolvimento de líderes de alto potencial relativamente cedo em suas carreiras. Os participantes desse tipo de avaliação geralmente descrevem o processo como a experiência de desenvolvimento mais útil em suas carreiras.

Em qualquer desses esforços de avaliação, é importante que os receptores da informação procurem manter a mente aberta e a vontade de mudar. Se algumas pessoas fornecem *feedback* que nunca é aproveitado, elas vão parar de dar *feedback*. Também é importante observar os padrões de percepção. Finalmente, os receptores controlam os dados e determinam sua própria agenda de melhorias. Sugerimos que se concentrem em uma ou duas mudanças importantes que serão notadas pelos outros.

Se você tiver bastante sorte e receber tal avaliação, veja se pode identificar uma lacuna entre os padrões que os profissionais de RH conhecem e seguem e a qualidade de sua própria consciência e ação sobre esses padrões. Lembre-se de que receber e agir de acordo com essa informação é um processo contínuo e de longa duração. Independente da fase de sua carreira ou do nível de sua posição, sempre há lugar para um progresso importante.

Etapa 3: Investimento

Aqui, a pergunta-chave é a seguinte: como criamos oportunidades de aprendizagem para desenvolver nossos profissionais de RH?

Depois de identificar uma lacuna – tanto para cada indivíduo quanto para o departamento como um todo – o próximo passo é o investimento. Investir em profissionais de RH significa alocar tempo e recursos para aprimorar suas habilidades. Na pesquisa de aprendizagem, conforme relatado na 21º Conferência Anual da Society of Industrial and Organizational Psychology (SIOP), os estudiosos descobriram que 50% do que somos capazes de fazer vêm da natureza e 50% da educação. Quando aplicamos isso à capacitação do RH, *natureza* se refere à contratação de profissionais de RH com os necessários conhecimentos, habilidades e capacidades; *educação* se refere ao desenvolvimento de profissionais de RH com os necessários conhecimentos, habilidades e capacidades.

As empresas devem começar contratando os profissionais de RH certos – e excluindo os errados se reconhecerem que no passado aconteceram alguns erros de contratação. Contratar as pessoas certas significa garantir que aqueles que entrevistam os potenciais candidatos utilizam um rigoroso processo de entrevista e classificam os candidatos de acordo com um simples conjunto de critérios. Porém, mesmo com rigorosos processos de contratação, alguns profissionais de RH não serão eficazes. Os esforços de classificação não são perfeitos, as circunstâncias mudam e algumas pessoas não evoluem conforme as expectativas. Por isso, excluir profissionais de RH de baixo rendimento torna-se uma importante estratégia para melhorar a comunidade de RH da empresa. Ao remover as pessoas é importante certificar-se de que os critérios de desempenho estejam claros, de que todos saibam se estão tendo um desempenho de acordo com esses padrões, de que os líderes ajam corajosamente quando alguém falha no atendimento dos padrões, e de que, no processo de realocação, a pessoa seja tratada de forma correta. A remoção das pessoas de baixo desempenho envia aos outros uma mensagem: baixos desempenhos não serão tolerados. Também aumenta, entre os funcionários de alto desempenho, a confiança no líder atual. Vemos que alguns gerentes de área desconfiam do RH porque o RH exige a tomada de decisões difíceis na contratação e demissão, mas não aplica as mesmas regras para si mesmo. Investir em recursos humanos significa ter rigor na busca e na realocação.

Além disso, investir em RH significa promover profissionais de RH a níveis de profissionalismo e desempenho mais altos, pelo fornecimento de experiências de desenvolvimento.

Experiência de trabalho

A melhor maneira de aprender é pela experiência. Aprendemos fazendo. Diversas abordagens podem ser usadas para proporcionar uma aprendizagem no local. A transferência de alguém para um novo trabalho pode ser uma excelente oportunidade de aprendizagem, a transferência de um centro de *expertise* para uma unidade de negócios ou a indicação para trabalhar em um projeto inovador enfatiza as competências existentes.

Trabalhamos em um grupo que havia vendido uma empresa e ganhado uma considerável soma de dinheiro. O líder do RH designou alguns profissionais de RH de alto potencial para uma tarefa especial a fim de fazer uma lista para fusão ou aquisição. Nenhuma fusão ou aquisição específica era considerada na época. Apesar disso, o chefe do RH percebeu que, com esse dinheiro em caixa, a empresa poderia realizar uma fusão ou aquisição em um futuro próximo. A equipe criou um método criterioso e preciso para avaliar as pessoas e as questões organizacionais como parte de uma abrangente estratégia de fusão e aquisição. Quando a oportunidade da aquisição surgiu, essa informação foi muito útil. No processo, o pessoal do RH aprendeu muito sobre questões de negócio que eram importantes para seu próprio sucesso e o de seus funcionários.

Aqui estão algumas experiências adicionais de trabalho que acreditamos úteis para os profissionais de RH ampliarem e aprofundarem suas experiências:

- Transfira-se da linha de produção para a equipe de trabalho ou vice-versa.
- Oriente ou aconselhe alguém.
- Desde cedo, busque uma colocação em que tenha responsabilidade sobre perdas e lucros e, depois, transfira-se para atribuições sucessivamente maiores.
- Prefira ter atribuições internacionais com diferentes experiências culturais.
- Trabalhe em uma situação de mudança radical.
- Assuma uma significativa parcela em um negócio de fusão ou aquisição.
- Adote uma rotatividade interfuncional.
- Participe de um estágio em um cliente.
- Trabalhe para um chefe diferente.
- Faça uma série de entrevistas com clientes.
- Participe de reuniões com investidores e compartilhe com eles informações da empresa.
- Participe de equipes de projeto que complementem seu trabalho atual.

Além disso, para o melhor desenvolvimento dos profissionais de RH, ao distribuir tarefas é importante considerar a localização geográfica, funções alternativas de RH e tipo de indústria. Alocar profissionais de RH de alto potencial em mercados não tradicionais ajuda-os a aprender a dinâmica dos negócios globais. A experiência global pode tomar a forma de um projeto temporário ou de uma atribuição permanente, mas os bons profissionais de RH devem apreciar a sutileza da gestão nos ambientes globais. Também é possível considerar o uso de funções alternativas como uma forma de desenvolvimento profissional de RH: transferir pessoas entre funções corporativas, de centros de *expertise,* de RH integrado e de centros de serviços. Sabemos que as carreiras no RH são mais em forma de mosaico do que lineares. Os profissionais de RH também podem desenvolver importantes conhecimentos e habilidades ao serem expostos a uma variedade de exclusivos desafios de negócio (por exemplo, início de atividades e negócios maduros ou vendas industriais ou ao consumidor).

A experiência do trabalho ou da função pode ser transformadora para os profissionais de RH. Ela lhes oferece novas oportunidades, desafios e *insights.* Também testa sua capacidade de aprender e de se adaptar, o que se torna um prenúncio de seu futuro potencial.

Experiência de treinamento

Muitas vezes, os profissionais e departamentos de RH estão tão envolvidos na *aplicação* de treinamento que acabam sendo os últimos a receberem um treinamento formal para atualização de suas funções. Para garantir que os investimentos em treinamento tenham o máximo impacto, as seguintes medidas fazem uma grande diferença:

- *Associe o treinamento de RH não só à estratégia, mas aos clientes e investidores.* Trabalhamos em uma empresa que incluía clientes e investidores no treinamento de seus profissionais de RH. Quando os professores ensinam, os participantes aprendem; quando os gerentes de área ensinam, os participantes fazem; quando os clientes e investidores ensinam, os participantes fazem as coisas certas.

- *Prepare um modelo integrado para o desenvolvimento do RH.* Já vimos treinamentos como um "desfile de estrelas", nos quais os apresentadores individuais são dinâmicos e encantadores, mas o programa geral não oferece uma visão integrada para os treinandos. Certifique-se de que os módulos fluam de um para o outro. Assegure-se de que o aprendizado total seja maior do que a soma das partes.
- *Considere o treinamento como uma experiência.* Uma experiência significa trabalho preliminar, aplicação e acompanhamento, não apenas o tempo de treinamento na sala de aula.
- *Traga trabalhos reais para o programa de treinamento sob a forma de projetos individuais ou em equipe de ação de aprendizagem.* Achamos útil definir metas para receitas específicas ou redução de custos para esses projetos.
- *Certifique-se de que o treinamento tem lógica.* Isto pode representar uma sessão de f*eedback* de 360 graus para os participantes individuais, ou problemas de negócio que possam ser resolvidos com as habilidades que ensinadas no programa.

Um treinamento eficaz pode ser uma poderosa fonte de desenvolvimento para os profissionais de RH que se esforçam para se tornar mais estratégicos. Tivemos extraordinários sucessos no treinamento de profissionais de RH que procuraram aumentar seu impacto nos resultados do negócio. Em uma empresa, Ryan Quinn e Wayne Brockbank relatam que a percepção do impacto do RH nos resultados do negócio aumentou 120% como resultado da intervenção de treinamento de RH.

Existem três diferentes fóruns para programas de treinamento de RH. Cada um deles tem seus pontos fortes e fracos. Os *programas de treinamento in-house* proporcionam a oportunidade de desenvolver um paradigma de RH unificado e focado no negócio na comunidade de RH da empresa. Os aprendizados são personalizados de acordo com a situação específica de negócio da empresa e os desafios da implementação podem ser cuidadosamente tratados e superados. Os *programas públicos de universidades* são projetados para ajudar o profissional de RH a melhorar seu conhecimento e suas habilidades pessoais. A presença de pessoas de diferentes empresas proporciona a exposição a uma grande variedade de práticas de RH, de diferentes setores e diferentes regiões do globo. E uma mistura emergente das duas abordagens tradicionais estimula um consórcio de empresas a enviarem pequenas equipes de profissionais de RH – de cinco a sete pessoas por resposta – para um programa. Esta última abordagem proporciona a oportunidade de compartilhamento de melhores práticas e projetos de aplicação baseados no trabalho de equipe.

Experiência de vida

A aprendizagem também resulta de escolhas pessoais. Isso pode incluir a criação de um programa personalizado de leitura nos quais os profissionais de RH normalmente leem, relatam e aplicam conceitos-chave dos principais pensadores. O aprendizado por meio da escuta pode ser realizado com a participação em conferências nas quais são apresentadas tendências emergentes de RH. Como Michael Lombardo e Robert Eichinger ressaltam, o aprendizado por meio da observação é contínuo para aqueles que são curiosos e buscam novas ideias. O *benchmark* de melhores práticas permite que os profissionais de RH se comparem com quem eles admiram. Eles podem observar o que as outras empresas fazem e, dessa maneira, adaptam o que veem aos seus respectivos contextos.

Os profissionais de RH podem desenvolver-se por meio da experimentação de novos comportamentos, da observação de como os outros reagem e da realização dos ajustes necessários. Se você tem a tendência de ficar quieto, pode praticar e falar mais alto, se tende a exagerar na análise dos números antes de tomar uma decisão, pode experimentar tomar decisões rápidas. Isso o ajuda a querer correr riscos – parecer bobo e não fazer as coisas certas na primeira vez – pois a principal barreira para o aprendizado é a exigência de estar certo desde o começo. Quando você tenta algo novo, pode ser que não tenha sucesso no início, mas se você não tentar novos comportamentos, você poderá se atrofiar.

Manter um diário de aprendizagem vai ajudá-lo a ver como está progredindo e o que está aprendendo. Tenha sempre curiosidade para saber o que pode ser feito melhor. Quando você vai a um restaurante, mercearia, *shopping center* ou agência do governo, pergunte-se: o que poderia ser melhor aqui? Essas estratégias pessoais de aprendizado o ajudam a desenvolver uma atitude e mentalidade de aprendizado. Há muito tempo se reconhece que uma poderosa maneira de melhorar o desenvolvimento de habilidades pessoais é aprender fazendo e pensando.

Resumo: oportunidades de aprendizagem para profissionais de RH

O conhecimento de RH tem meia-vida. Isto é, 50% do que os profissionais de RH deveriam saber e fazer se altera em poucos anos. Para ficar atualizado e, até mesmo, à frente da curva de conhecimento do RH, os profissionais precisam investir em si próprios no trabalho, no treinamento e em suas vidas pessoais.

FERRAMENTA 6.4	*Desenvolvimento estratégico do profissional de RH*
▶	O desenvolvimento eficaz dos profissionais de RH envolve intervenções em três categorias-chave: experiência no trabalho, experiência de vida e treinamento/orientação formal. Aprenda com as principais organizações globais enquanto Justin Allen compartilha as melhores práticas no desenvolvimento de liderança sustentável.
	▶ *Acesse www.TransformHR.com*

Etapa 4: Mensuração e acompanhamento

Esta é a pergunta-chave: Como mensuramos e fazemos o acompanhamento para nos certificar de que as ideias são mantidas?

Os passos finais em qualquer modelo de aprimoramento de talento são a mensuração e o acompanhamento. Mensurar significa controlar a qualidade dos profissionais de RH e dos investimentos para desenvolver profissionais de RH. Trabalhamos com muitas empresas que consistentemente fizeram avaliação de 360 graus de RH para controlar a qualidade de seus profissionais. Ter um patamar do desempenho de RH e, depois, fazer o *benchmark* regularmente, comparando com aquele patamar, permite que os líderes de RH apresentem progresso aos seus líderes de negócio. Além disso, é importante testar em que medida os investimentos de RH dão resultados. As designações de trabalho ajudam as pessoas a se prepararem para carreiras futuras? As experiências de desenvolvimento se traduzem, para a organização, na criação de capacitações-chave que, por sua vez, se traduzem em resultados de negócios substancialmente maiores? O incentivo para o aprendizado do pessoal ajuda os profissionais de RH a ampliarem suas experiências e os torna mais capazes de atender aos padrões esperados?

Mensuração e acompanhamento significam que a transformação do RH não deve restringir-se apenas ao desenvolvimento dos profissionais de RH. Também exige que o desenvolvimento de RH seja parte da gestão de seu desempenho, que as metas e processos da transformação sejam comunicados de maneira clara e de modo abrangente, e que o trabalho seja eficientemente organizado a fim de transmitir valor. Quando todas as quatro áreas analisadas no Capítulo 5 (pessoas, desempenho, informação e trabalho) são aplicadas para transformar os profissionais de RH, a iniciativa de desenvolvimento se torna integrada e mais sustentável.

Conclusão

Este capítulo trata da transformação da qualidade dos profissionais de RH. O modelo de quatro etapas para a gestão de talentos em geral pode ser adaptado para atualizar todos os profissionais de RH em sua organização ou para melhorar suas habilidades individuais de RH. Trabalhamos com diversos responsáveis pelo RH que querem aprimorar seus profissionais. Usando o modelo de competência que geramos, eles combinaram diversas auditorias individuais de RH para determinar a qualidade geral de seus profissionais. Com essa informação, criaram uma academia de RH onde os profissionais aprendem como criar valor. O resultado dessas experiências de desenvolvimento é que os profissionais de RH têm um crescimento enorme no modo como agregam valor para sua organização.

Em um nível mais pessoal, os profissionais de RH podem usar essas ideias para melhorar suas habilidades. Uma líder emergente de RH chamada Jenna ambicionava transmitir excelência de RH. Prevendo o que esperava realizar em sua carreira, reconhecia que precisava identificar e desenvolver suas competências pessoais. Ela estudou e aprendeu o modelo de competência que desenvolvemos e perguntou a seus sócios como era seu desempenho nos seis setores. Priorizou as áreas nas quais precisava melhorar e criou um plano de desenvolvimento pessoal para seu aprimoramento. Com pouco alarde, seu chefe, clientes, colegas e subordinados começaram a reconhecer seu progresso pessoal. Com uma confiança renovada, Jenna começou a receber tarefas e responsabilidades cada vez mais complexas e obteve sucesso em sua carreira.

Tanto para o departamento de RH como um todo quanto para cada um dos profissionais de RH, quando há um conjunto de expectativas e padrões claros, os profissionais podem avaliar seus trabalhos de acordo com esses padrões, investir no futuro, medir e fazer um acompanhamento de seu desenvolvimento. Como resultado, eles sofrem transformações de modo a ajudá-los a contribuir para o sucesso de longo prazo de sua organização.

Fase: 4
RESPONSABILIDADE DO RH

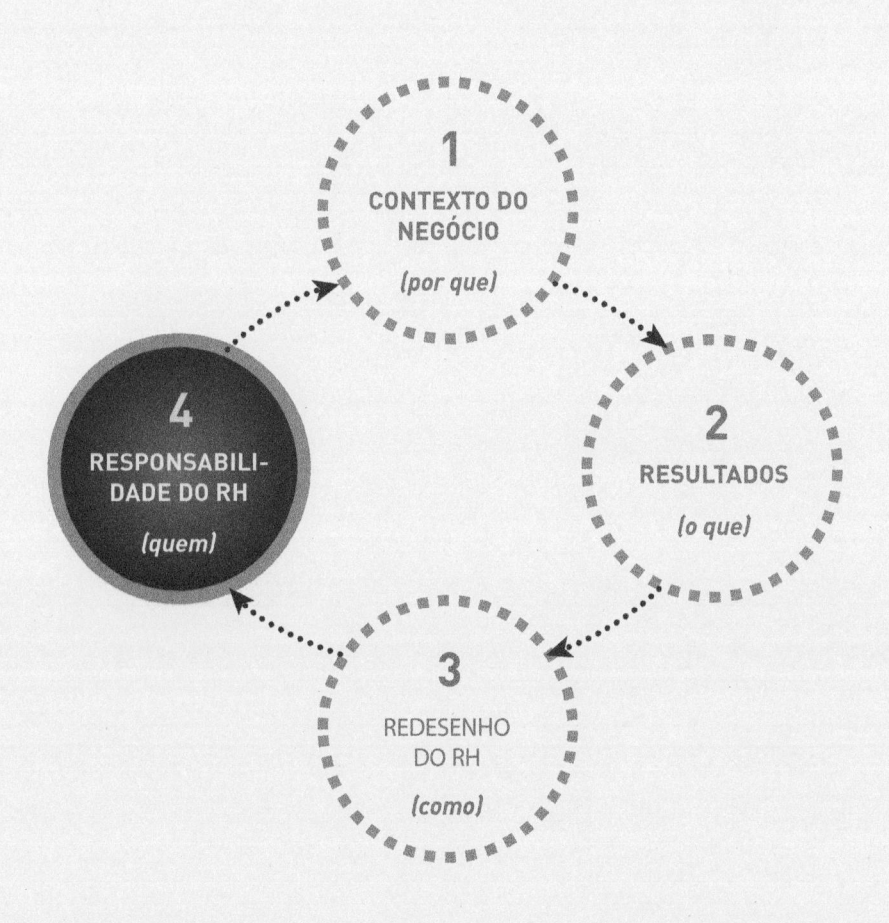

1 CONTEXTO DO NEGÓCIO
(por que)

2 RESULTADOS
(o que)

3 REDESENHO DO RH
(como)

4 RESPONSABILIDADE DO RH
(quem)

COMPARTILHE A RESPONSABILIDADE PELA TRANSFORMAÇÃO

7

Um processo de transformação de RH bem-sucedido envolve as pessoas certas, no tempo certo, de maneira certa. Chamamos isto de Fase 4, mas é uma característica importante de todas as fases. A importância do envolvimento na gestão de mudança bem-sucedida é de amplo reconhecimento. Sabemos, depois de décadas de pesquisa sociopsicológica, que as pessoas tendem a se comprometer com atividades ou decisões nas quais estão envolvidas. Isto tem implicações particularmente importantes – e não totalmente óbvias – para os líderes de RH e profissionais engajados na transformação. Se os profissionais de RH planejam a transformação em um vácuo, os outros, cujas perspectivas são necessárias durante o planejamento, ou cujo comprometimento é necessário durante a implementação, podem resistir às mudanças exigidas deles, e serão menos suscetíveis a apoiar os elementos mais controversos ou difíceis do plano e menos atentos ou prestativos aos problemas ou desafios que surgirem durante o curso da implementação.

Quatro grupos de *stakeholders* deveriam se envolver com a transformação do RH:

- *Os líderes e profissionais de RH*: Desenha o processo e trabalha para implementar a transformação.
- *Gerentes de área*: Garante que a transformação alinhe as metas do negócio e trabalha com o RH para implementar a transformação.
- *Clientes externos e investidores*: Orienta a transformação do RH para sua aplicação.
- *Consultores e conselheiros:* Oferece estruturas e *insights* desenvolvidos por outros, e indica as crateras onde outros caíram.

Líderes e profissionais de RH

Basicamente, a transformação do RH depende da qualidade dos profissionais e de seus relacionamentos com os gerentes de área. Se eles não puderem contrapor as crescentes expectativas levantadas pela transformação, rapidamente irão perder credibilidade e ficar relegados a um *status* de segunda linha. Quatro funções são importantes para esse processo: o diretor de RH, a equipe de liderança do RH, o chefe de RH para o RH, e os profissionais de RH.

Diretor de RH

O líder de qualquer organização define a direção e o tom para a organização. O diretor de RH precisa patrocinar a transformação de seu setor. Isso significa alocar dinheiro, tempo e talento para o esforço de transformação. O patrocinador também precisa manter os *stakeholders*-chave (gerentes de área, diretoria) informados sobre o progresso e responsabilizar os que fazem o trabalho diário da transformação do RH. O diretor de RH deveria iniciar, liderar o projeto e monitorar o plano de transformação, assegurando que esse plano comece com o contexto do negócio (fase 1); defina os produtos e resultados (fase 2); especifique as mudanças para o departamento de RH, as práticas e as pessoas (fase 3); e implemente as mudanças. Finalmente, o diretor de RH deveria assegurar que medidas saudáveis estejam prontas para monitorar o progresso de maneira segura e com perfeição. Garantir o envolvimento de profissionais de RH confiáveis exige a responsabilidade do diretor. Como em todas as transformações, a do RH também terá suas cotas de altos e baixos. É importante um apoio constante e inabalável para dirigir o projeto.

Muitas vezes um novo chefe de RH, de fora da empresa, tem mais facilidade para defender a transformação do RH do que o chefe de RH atual ou um internamente promovido. Aqueles que criam uma agenda têm menos probabilidade de querer desfazê-la e transformá-la. Ao mesmo tempo em que um novo diretor de RH externo pode trazer novas visões e vitalidade para a transformação do RH, porém, um estranho também precisa trabalhar mais a fim de entender e desenvolver trabalhos anteriores. Um chefe de RH local pode realizar a transformação de maneira mais eficaz, garantido que ela esteja baseada no contexto do negócio (fase 1) e tenha resultados claros (fase 2).

Capítulo 7 – Compartilhe a Responsabilidade pela Transformação

Equipe de liderança do RH

A maioria dos chefes de RH cria uma equipe de liderança. Geralmente, ela consiste em pessoas que vão atuar em negócios ou unidades geográficas fundamentais, os chefes dos centros de *expertise* e o líder dos serviços compartilhados ou transacionais (ou de operações de RH). Essa equipe pode ser chamada de equipe de liderança, comitê diretor, secretariado do RH ou algo parecido. Qualquer que seja o nome, é importante o apoio coletivo desse grupo para a transformação do RH e ele não deve ser desconsiderado ou fictício.

RH para RH

Em muitas grandes empresas, os campeões da transformação do RH são os indivíduos responsáveis pelo fornecimento dos serviços de RH para os profissionais de RH. São profissionais de RH experientes que passaram por funções de grande responsabilidade, tanto nas unidades de negócio quanto nos centros de *expertise*. As pessoas nessas funções geralmente têm uma excelente compreensão de como o negócio funciona e dá dinheiro. Eles precisam ter uma ótima reputação entre os profissionais de RH que os procuram para orientação, e entre os líderes de negócio cujo apoio pode depender de sua credibilidade.

Como chefes da equipe de transformação do RH, eles esboçam o plano de transformação e garantem a definição das etapas (analisadas no Capítulo 8) para monitorar o progresso. Também são responsáveis por promover discussões sobre a organização do departamento de RH para que o centro de *expertise* e os profissionais integrados de RH colaborem com mais valor (Capítulo 4). Eles ajudam a negociar tecnologia para fornecer com eficiência os processos administrativos. Supervisionam auditorias práticas de RH para determinar quais práticas (pessoas, desempenho, informação e trabalho) devem ter prioridade (Capítulo 5). Garantem que essas práticas estejam alinhadas com a estratégia, integradas umas com a outras, e tratam dos assuntos que a organização verdadeiramente precisa tratar. São responsáveis por definir os padrões que tornam um profissional de HR eficaz em suas organizações e por criar um processo para avaliar os profissionais de acordo com esses padrões (Capítulo 6). Tomam a iniciativa de investir em experiências de desenvolvimento de RH e treinamento. Estão ativamente envolvidos no processo de planejamento de sucessão e promoções a cargos-chave de RH em toda a empresa. Administram os processos necessários para fazer a mudança acontecer e trabalham para criar o futuro do RH, em vez de depender dos sucessos passados para se manterem na organização.

Profissionais de RH

Para que tenha alguma perspectiva de êxito, mesmo quando apoiada pelo executivo-chefe de RH e defendida pelo diretor de RH do RH, uma transformação deve ser divulgada e vivida pelos profissionais de RH em toda a organização. Os profissionais de RH que aceitam a transformação reconhecem que seu sucesso pessoal está ligado ao sucesso da transformação do RH. Isto significa abandonar comportamentos passados, aprender novas funções, praticar novas atividades e dominar competências-chave. Abandonar o passado significa perceber que, como diz Marshall Goldsmith, "o que o trouxe até aqui não o levará até lá".

Em praticamente todas as transformações de RH por que passamos, uma parte (cerca de 1/5) dos profissionais de RH eram os primeiros a adotar, pessoas que estavam preparadas e prontas para a transformação e ansiosas para começar assim que tivessem uma oportunidade. É importante identificar e patrocinar esses inovadores, apoiá-los e divulgar aos outros o que eles estão fazendo. Há uma proporção igual de preguiçosos, que não conseguem abandonar o passado e nunca farão a transformação. Essas pessoas também precisam ser identificadas cedo e postas de lado, ou excluídas, para que a transformação possa avançar com facilidade. O maior grupo de profissionais de RH provavelmente está no grupo do meio: querendo acreditar na transformação, mas sem saber como ela os afeta e como fazer para que aconteça. Para esse grupo, o diretor e defensor da transformação precisa criar o *business case* para a transformação (fase 1), definir claramente os resultados (fase 2) e criar um plano para mudar os departamentos e práticas de RH (fase 3). Os profissionais de RH nesse grupo também precisam de um *feedback* rigoroso e regular sobre como estão agindo em relação às atribuições e competências que lhes são exigidas (Capítulo 6). Tendo disponíveis dados sobre seu estado atual e informações sobre o potencial estado futuro, eles podem começar a mudar seu comportamento pessoal para que seja coerente com a transformação.

Capítulo 7 – Compartilhe a Responsabilidade pela Transformação

Gerentes de área

Os gerentes de área são, em última instância, responsáveis por assegurar que a organização tenha o talento certo e esteja preparada para atender às expectativas dos clientes, dos acionistas e das comunidades. Eles têm a responsabilidade de proporcionar um foco de negócio claro para a transformação, assegurar que a equipe de transformação tenha acesso tanto às informações internas quanto externas, assegurar que as pessoas certas estejam envolvidas no processo de transformação e exigir resultados claros e mensuráveis da transformação. Numerosos esforços como a guerra por talentos, os *balanced scorecards* e as listas das "melhores empresas" sugerem como os gerentes de área podem administrar melhor seu pessoal e a organização. Os resultados declarados da transformação de RH irão expressar o que os gerentes de área podem esperar dos investimentos em RH. Uma verdadeira transformação de RH irá reforçar o domínio e a responsabilidade dos gerentes de área para apresentarem a organização e os talentos corretos a fim de atender as necessidades dos *stakeholders*.

O termo *gerente de área* se refere aos líderes em todos os níveis da organização. Os membros da diretoria devem ser informados sobre os motivos e os resultados da transformação do RH. Debates realizados em nível de diretoria podem extrair lições e experiências de outras empresas nas quais os membros do conselho viram esforços semelhantes no passado e garantem que a transformação do RH receba uma atenção da alta gerência da área. Os diretores devem estar bem informados sobre a transformação. É provável que um membro desse grupo faça parte da equipe de transformação. Essa equipe deve explicar como a transformação do RH é compatível com as metas econômicas do cliente e as metas operacionais do negócio. A equipe deve monitorar o progresso e, se necessário, ajudar a acelerar as ações. A direção deve assimilar as lições da transformação do RH e compartilhá-las com outras funções do grupo de trabalho. Também devem comemorar os sucessos, reconhecendo o progresso e os principais colaboradores do esforço.

Os gerentes de área em toda a organização também devem estar cientes da transformação do RH, de como isso afetará sua capacidade de alcançar seus objetivos e de seu papel para ajudar na evolução. Aqui estão algumas dicas que os profissionais de RH podem utilizar para envolver os gerentes de área de toda a organização na transformação do RH:

- *Mostre o que a transformação irá representar para o lucro líquido e para o gestor individual.* O caso mais forte para transformação começa com impacto do lucro financeiro da transformação: como a mudança no foco do RH, nas prioridades e na entrega irá aumentar a capacidade da empresa de atender as expectativas do cliente e do investidor. A linguagem da transformação deve começar com perdas e lucros (ver Capítulo 2) e terminar com benefícios realistas da transformação do RH para perdas e lucros no futuro. Como observado anteriormente, sem um impacto claro e direto no modo como a empresa atende aos clientes e como ganha e poupa dinheiro, será difícil para uma transformação de RH ganhar o apoio de executivos e membros do conselho que estão sempre tentando equilibrar muitos outros pedidos concorrentes de tempo e dinheiro. Associe a transformação do RH ao seu *scorecard* e suas responsabilidades. Certifique-se de que os incentivos financeiros e não financeiros dos gerentes de área estejam vinculados aos resultados da transformação do RH. Peça a eles para que relatem publicamente como a transformação de RH irá ajudá-los com seus objetivos comerciais; isto ajudará a trazer outras pessoas para o processo e fará os próprios gerentes ficarem mais comprometidos com ele.
- *Envolva os gerentes de área como membros da força-tarefa da transformação e torne-os parte do processo.* Faça com que eles se aproximem, não fiquem apenas olhando da margem. Sem seu envolvimento, você não conseguirá nem seu comprometimento, nem seus *insights*. Sem seu compromisso, você não terá suas melhores contribuições. Eles podem se envolver na definição das realidades empresariais que impulsionam a transformação (fase 1), na ajuda da seleção e avaliação das capacidades que serão melhoradas com a transformação (fase 2) e aconselhando sobre mudanças nas práticas do departamentos de RH e no modo como os profissionais devem ser avaliados e melhorados. Eles também podem se envolver por meio de entrevistas normais, atualizações, análises, ou participação na equipe de transformação. Quanto mais envolvidos estiverem os gerentes de área mais importantes, mais sentimento de propriedade eles terão.
- *Crie relacionamentos de confiança sendo um ativista confiável.* A confiança cresce nas situações difíceis. A confiança se desenvolve nas trincheiras. A criação de unidade se torna uma agenda ainda mais importante quando as coisas são especialmente difíceis. É nessas ocasiões que se torna ainda mais importante procurar pelos outros por

apoio, sinergia e foco e para resolver problemas em relacionamentos complicados. Em vez de seguir caminhos separados e evitar os outros, abra as portas e fale abertamente. Onde devem estar os profissionais de RH quando um gerente de área enfrenta sérios problemas comerciais (ou pessoais)? Eles deveriam estar no escritório do gerente de área dizendo: "Isso deve ser muito ruim. Como você está se sentindo? O que devemos fazer para reagir? O que estamos aprendendo?" Permita que eles vejam que você é alguém com quem eles podem contar – não somente com uma solução, mas com coração e mente abertos. Este é um dos maiores papéis que você pode desempenhar no RH – criar um relacionamento de confiança e ser um conselheiro confiável. Isso é muito importante e ajuda os gerentes a se sentirem ligados ao que você faz.

- *Seja um orientador que faz perguntas importantes*. Os gerentes precisam passar por um escrutínio público, pois são responsáveis por resultados. Às vezes, eles tendem a recuar, ficando separados ou isolados. Uma das grandes alavancas que temos no RH é servir como orientadores, tanto nos aspectos comerciais quando pessoais da vida. Reúna-se com os gerentes de área para fazer perguntas e escute-os sem nenhum interesse pessoal, exceto oferecer ajuda e apoio. Essa orientação pessoal provavelmente não virá das áreas financeira ou jurídica. É mais provável que eles passem o tempo perguntando ao gerente sobre dinheiro e conformidade ou litígios. O RH está numa posição única e deve perguntar: "Como vai você?" Pergunte: "Você está se cuidando?" Quando necessário, recomende que o gerente fique longe do trabalho para se renovar e reenergizar.
- *Ajude os gerentes de área a esclarecer alguns conceitos errados sobre o RH*. Ajude os gerentes de área a superarem os equívocos comuns do RH descritos na Tabela 7.1, mostrando como o RH pode agregar valor. Geralmente, os gerentes de área passaram por experiências negativas com uma prática de RH (talvez não tenham sido remunerados como achavam que mereciam, ou ficaram de fora de algum programa de treinamento que achavam que deveriam ter participado, ou foram ignorados na execução de uma tarefa que gostariam de ter feito) ou com um profissional de RH (que poderia estar agindo mais como um fiscal da política e não como um parceiro estratégico). Ao discutir mitos e realidades, os profissionais de RH podem começar a mudar a imagem e a reputação do RH com os gerentes de área.

Tabela 7.1 *Erros comuns no julgamento do gerente de área sobre o RH*

MITO	FATO
Competitividade advém da estratégia.	Competitividade = estratégia × organização – e podemos ajudar a criar uma organização com estratégia e uma vantagem competitiva.
Organização é estrutura.	Organização é capacitação – coisas que podemos fazer por causa do que somos, do que valemos, de como trabalhamos e de como nos estruturamos.
Os profissionais de RH cuidam das questões de pessoal para que os gerentes de área não precisem perder tempo com isso.	Muito do trabalho de RH é realizado e modelado, em última instância, pelos gerentes de área.
RH é puro senso comum; qualquer um pode desempenhar essa função.	O RH é baseado em um conjunto de conhecimento de pesquisa que pode ser utilizado para se obter resultados mensuráveis. Os profissionais de RH podem trazer para a empresa esse conhecimento, essa lógica e o conjunto de práticas competitivas.
O trabalho de RH é apenas um monte de atividades aleatórias que precisam ser feitas.	O trabalho de RH é um conjunto integrado de resultados que alinham as pessoas e a organização com a estratégia em busca dos resultados desejados.

- *Atreva-se a dar as más notícias aos gerentes de área.* Normalmente, os profissionais de RH recolhem e distribuem os resultados das avaliações, pesquisas, análises de 360 graus, e outros *feedbacks* ou instrumentos de avaliação. Geralmente, os resultados são positivos para um determinado gerente de área, mas algumas vezes eles podem ser dolorosamente negativos. Após entregar notícias negativas para um gerente de área, os profissionais de RH devem fazer um acompanhamentoe incentivar os gerentes a falar sobre os problemas e a lidar com eles. No RH, temos que encontrar uma maneira de transmitir notícias desagradáveis sem ficar na defensiva e sem criar defesas. Os gerentes de área geralmente ficam rodeados de bajuladores que compartilham apenas as boas notícias. Os profissionais de RH ganham credibilidade quando encontram maneiras de compartilhar tanto as boas quanto as más noticias, e depois, como resultado do novo conhecimento, ajudam os gerentes de área a melhorar.

- *Fique por perto.* Não basta apenas despejar a agenda de transformação do RH nos gerentes de área. Evite dizer: "Aqui está. Veja todas estas coisas. Faça isso. Voltarei dentro de seis meses". Em vez disso, fique com eles. Entenda seus desafios. Ajude-os a entender por que devem se envolver, quais serão os resultados, e como a transformação irá acontecer. Ajude-os a compreender em como suas vidas irão melhorar devido à transformação do RH. Empenhe-se com os gerentes, crie contribuições de valor agregado e solucione suas dúvidas. Dessa maneira, eles confiarão em você e se empenharão em ajudar o RH a alcançar seus resultados. Resolva as questões. Ajude-os a enxergar o que precisa acontecer para se obter sucesso. Escute e aprenda. Em vez de tentar mudar seu estilo, trabalhe com eles para que o usem a fim de produzir resultados positivos. Saiba mais sobre eles, resolva suas preocupações com franqueza e sinceridade. O que é necessário fazer quando algo não está bem no RH? Admita rapidamente. Empenhe-se e concentre-se no futuro. Crie adaptabilidade, defensibilidade, sociabilidade e estabilidade como meio de adquirir confiança. Concentre-se no que você contribui, não apenas no que você faz. Mantenha os gerentes de área concentrados nos resultados. Deixe que vejam que esses produtos são importantes.

Quando os gerentes de área entendem o valor da transformação do RH para eles mesmos e para seus negócios, quando estão envolvidos e comprometidos com a transformação do RH e quando acreditam que seus profissionais irão entregar o que prometeram, tornam-se aliados e defensores da transformação.

FERRAMENTA 7.1	*Criando uma equipe (interna) de transformação do RH*
▶	A criação da equipe de transformação do RH é importante para a execução eficaz e o sucesso no longo prazo. Ouça Mark Nyman descrever quem deve estar na equipe de RH e na gerência da área, e os papéis importantes que devem ser desempenhados.
	▶ *Acesse www.TransformHR.com*

Clientes externos e investidores

Normalmente, a transformação do RH tem origem e é dirigida por uma lógica interna. Geralmente, a lógica, a linguagem e as práticas de recursos humanos se concentram nas necessidades dos funcionários. Como uma alternativa, enfatizamos que a transformação do RH deveria focar seu impacto nos *stakeholders* externos, importantes para a empresa. Mantemos o princípio econômico básico de que, em última análise, tudo o que fazemos no interior de uma empresa deve criar valor para quem está fora da empresa – ou o que fazemos é irrelevante. As organizações não existem para satisfazer seus próprios fins, mas para cumprir as finalidades pelas quais a sociedade lhes permite existir

Os clientes, investidores e consultores podem trazer importantes perspectivas externas para o processo de transformação do RH. O claro entendimento das realidades do negócio, tão essenciais para a real transformação do RH, geralmente está baseado nas expectativas e experiências dos clientes e dos investidores.

A função dos clientes na transformação do RH

A voz do cliente é fundamental para uma transformação de RH verdadeiramente estratégica e pode estar envolvida nessa transformação de diversas maneiras. A informação do cliente, que pode ser acessada diretamente, por meio dos relacionamentos que os líderes de RH criam com os clientes, ou indiretamente, por meio de vendas e *marketing*, pode fornecer à equipe de transformação de RH os dados do cliente, as experiências e as expectativas que moldam os resultados desejados e, portanto, a arquitetura da

Capítulo 7 — Compartilhe a Responsabilidade pela Transformação

transformação. Os resultados devem ser baseados na marca da empresa: por que os clientes escolhem seus produtos e serviços, que tipo de experiência do cliente a empresa quer proporcionar, e que experiência os clientes estão tendo com a empresa – e como ela pode ser melhorada. Quando as práticas de RH são redesenhadas, deveriam estar alinhadas para assegurar a coerência com as expectativas do cliente. Os clientes também podem estar envolvidos direta e ativamente na transformação do RH, por exemplo, fazendo os profissionais de RH os visitarem para que descubram quais as capacitações organizacionais e competências de liderança esperam da empresa. Muitas empresas esperam que seus profissionais de RH passem algum tempo com os clientes externos (por exemplo, um dia por trimestre) para que fiquem em contato com as necessidades e tendências do cliente, e entendam melhor como as práticas de RH impactam o desempenho da empresa ao atender as expectativas do cliente. A linha de visão entre a transformação do RH e a participação do cliente (receitas de clientes-alvo ou especiais) deveria ser clara, abrangente e compartilhada. Os três passos a seguir podem ajudar a conectar os clientes externos e a transformação do RH.

Passo 1: Reúna os insights *e as informações dos clientes*

Quando os profissionais de RH estiverem procurando transformar o RH com base na voz do cliente, é preciso que tenham informações e *insights* sobre este. O primeiro *insight* foca no que os clientes são. Na P&G, por exemplo, os clientes são os consumidores que usam o produto e também os varejistas que os vendem. Para o BNP Paribas, os clientes variam desde possuidores de contas-correntes até corretores financeiros. Na Cardinal Health, eles são os administradores do hospital, os médicos, os pacientes e as empresas seguradoras. O segundo *insight* que os profissionais de RH precisam entender é o critério de compra dos clientes: por que eles compram de um fornecedor e não de outro. Para acessar esses *insights*, os profissionais de RH podem, periodicamente, analisar o ambiente de negócio em que seus clientes estão trabalhando, as ameaças que eles enfrentam, e as oportunidades que eles buscam acumular (ver Capítulo 2). Eles podem acumular dados sobre as condições financeiras dos clientes, e sobre as expectativas e tendências de gastos dos consumidores. Os profissionais de RH deveriam conhecer o cliente tão bem quanto os vendedores, porque, enquanto as vendas oferecem produtos ou soluções para um cliente, o RH estabelece o talento individual e as capacitações organizacionais que criam produtos, serviços e relacionamentos que atendem as expectativas de longo prazo dos clientes. Ao fazer isso, o RH oferece um relacionamento com o cliente que vai além de qualquer transação.

Passo 2: Reconheça os momentos da verdade e os pontos de contato

Junto com todos os funcionários de uma organização, os profissionais de RH precisam entender os momentos da verdade ou importantes pontos de contato do negócio. A P&G identificou dois momentos da verdade importantes: um, quando o consumidor escolhe os produtos da P&G na prateleira de uma loja, e o outro, quando o consumidor o usa e forma uma opinião sobre o produto. Todas as empresas precisam identificar os momentos da verdade de seus clientes. Os profissionais de RH também devem reconhecer esses momentos, sabendo e entendendo suas causas e como eles se ligam ao sucesso financeiro da empresa. Os profissionais de RH que reforçam os momentos da verdade habitualmente garantem que suas ações de RH são guiadas pelas expectativas dos clientes.

Passo 3: Mantenha as experiências do cliente com práticas de RH

O RH pode desempenhar um papel importante na gestão e avaliação da experiência do cliente. Trabalhando com vendas, *marketing*, qualidade e outras funções, o RH pode apoiar grupos de foco, avaliações do atendimento ao cliente e outras atividades de coleta de dados. O RH também deveria ser um jogador-chave na análise e síntese dos dados.

Os profissionais de RH estão em uma posição única para cumprir as promessas feitas pelos vendedores e assegurar que a organização seja capaz de executá-las com sucesso. As vendas tendem a apresentar um único evento ("Iremos fornecer o produto ou serviço que você pediu"); o RH pode complementar esse evento tornando-o um padrão ("Criaremos uma organização que sempre atende suas necessidades"). Utilizando as informações coletadas do cliente, os líderes de RH precisam fazer alterações no quadro de pessoal, treinamento, comunicação, recompensas e reconhecimento, estrutura organizacional, e liderança que mantêm a conexão com o cliente. Conhecer os clientes e entender por que, onde e quando eles compram o produto irá aumentar consideravelmente a capacidade do RH de tomar decisões sobre sistemas, prática e concepção de políticas que melhorem a experiência do cliente. Nossas empresas de estudos de casos concordam que sistemas, práticas e políticas devem estar totalmente alinhados com os clientes. Elas também dizem, por experiência, que a lide-

Capítulo 7 – Compartilhe a Responsabilidade pela Transformação

rança e as recompensas são as duas áreas que podem ter o maior impacto na melhoria da experiência do cliente e, dessa forma, aumentar a receita.

Uma vez executados os três passos do modelo de conexão do cliente, deve ser estabelecido um sistema para sustentar uma conexão de longo prazo. Os líderes de RH precisam criar processos sustentáveis para assegurar que o cliente esteja presente ou representado na ocasião em que os programas e práticas são desenhados para pessoas, desempenho, informação e trabalho. Um exemplo eficaz disso é Hallstein Moerk, diretor de recursos humanos da Nokia. No final de 2007, quando Moerk reuniu sua alta equipe de RH para planejar as grandes estratégias e iniciativas para 2008, convidou dois clientes para participar da reunião. Cada vez que a equipe de RH sugeria um novo programa ou uma nova iniciativa, a equipe pedia aos clientes que as considerassem. Algumas vezes os clientes diziam: "Sim, é exatamente disso que precisamos", mas outras vezes diziam: "Parece interessante, mas não me ajuda"! A participação dos clientes na reunião comprovou ser um benefício significativo para Moerk e sua equipe. Quando há uma clara linha de visão entre os investimentos de RH e as exigências do cliente, os dois ganham.

Os líderes de RH também podem intermediar oportunidades para que seus profissionais tenham interações face a face com os clientes. Como uma função, o RH tem capacitações fundamentais que podem e devem ser utilizadas para gerar valor para os clientes. Por exemplo, vários departamentos de RH se associam aos clientes para fornecer treinamento, desenvolver liderança e montar equipes. O Royal Bank of Scotland exige que sua equipe de RH passe pelo menos dois dias por ano em uma interação com os clientes (em um *call center*, em uma filial ou em algum outro local). Um contato regular pessoal entre os recursos humanos e os clientes é benéfico para as duas partes. Para uma verdadeira sustentabilidade de longo prazo, entretanto, o RH precisa levar esses relacionamentos de parceria um pouco além e ser um participante regular e ativo no processo de venda. Um vendedor que se envolve com o cliente pode promover uma interação bem-sucedida (por exemplo: "Compre meu produto ou serviço, pois ele vai resolver seu problema ainda hoje"). Porém, quando uma pessoa do RH participa da venda, a empresa pode prometer ao cliente um padrão futuro, e não somente um único evento. Em lugar de apenas comprar um produto ou serviço, os clientes podem ter a certeza de comprar um relacionamento, porque eles sabem que o RH pode assegurar que o talento e os sistemas organizacionais estão prontos para garantir entregas de longo prazo. Neste novo paradigma, na mente do cliente, o RH se torna o criador e guardião do relacionamento de longo prazo. Este é o futuro do RH; um vendedor seria negligente se tentasse vender um produto ou serviço como um evento, sem envolver o RH, que pode vender o relacionamento de longo prazo.

A função dos investidores na transformação do RH

Assim como os clientes, os investidores deveriam influenciar e ser influenciados pela transformação do RH. Quando se realiza uma transformação do RH, os investidores têm mais confiança nos rendimentos futuros, pois as capacitações resultantes da transformação devem ajudar a garantir um sucesso sustentável. Pesquisas mostram que os intangíveis econômicos, como as capacitações organizacionais, representam até 50% do valor de mercado de uma empresa. Em condições econômicas boas e más, as empresas com uma organização de maior qualidade (liderança, práticas de RH, cultura e controle) muito provavelmente terão maiores índices P/L do que seus concorrentes. O RH pode trazer a lógica e os valores dos investidores para o trabalho de transformação do RH. Os investidores contribuem para a transformação, enquanto os departamentos de RH alinham suas práticas com as exigências da comunidade de investimento. As lógicas e os valores dos investidores podem ser avaliados quando a equipe de transformação convida investidores-chave para participar de suas deliberações. Ao fazer isso, a equipe de RH não observa apenas a lógica do investidor, mas também comunica aos envolvidos que seus valores estão sendo incutidos na infraestrutura institucional da empresa. Com isso, a confiança do investidor irá influenciar positivamente suas decisões de compra ou venda. Os mesmos passos usados para os clientes se aplicam para os investidores:

Passo 1: Reúna os insights e as informações dos investidores

Os profissionais de RH deveriam saber quem a empresa almeja como investidores-chave e por que eles investem. Nas empresas de capital aberto, isso geralmente significa grandes investidores e analistas que seguem suas indústrias. Nas divisões de grandes empresas, o investidor é o escritório central da empresa, que aloca dinheiro nas divisões. Nas empresas de capital fechado, o investidor pode ser a família ou outro proprietário. Nas agências públicas, os investidores podem ser legisladores que fazem política e que distribuem os recursos apoiando algumas empresas mais do que outras. Os profissionais de RH deveriam sempre saber quem são os investidores relevantes e como eles avaliam o sucesso de sua organização.

Passo 2: Reconheça o momento da verdade do investidor

Os profissionais de RH deveriam conhecer os pontos de contato do investidor. Isso pode incluir ligações telefônicas, reuniões ou dados. Os profissionais de RH podem ajudar a gerar valor assegurando que esses encontros com o investidor transmitam a informação sobre as capacitações organizacionais analisadas no Capítulo 3. Um bom exemplo disso foi o de uma grande empresa de telecomunicações que regularmente convidava os investidores a participar de seus programas de desenvolvimento dos altos executivos. Durante esses programas, os líderes da empresa eram sempre lembrados das expectativas dos investidores, e os investidores passavam a entender a administração da empresa e a competência de seus futuros líderes. Com essa informação, os investidores ganhavam confiança no futuro da empresa.

Passo 3: Mantenha a confiança do investidor com práticas de RH

Quando você projeta suas práticas de RH no que diz respeito a pessoas, desempenho, informação e trabalho, certifique-se de que elas passem pelo filtro do investidor. As práticas são concebidas e entregues para aumentar a consciência e confiança dos investidores e atender suas expectativas? O RH participa ativamente para compreender os investidores que tem percepções positivas e negativas da empresa? O RH ajuda a garantir que os investidores conheçam e entendam o sucesso de sua organização na criação e sustentação de capacitações-chave (especialmente em comparação com seus concorrentes)?

Consultores e conselheiros

Recentemente, um colega com profundo conhecimento em integração de fusões e aquisições informou que havia sido consultado para ajudar um cliente a gerir uma integração de fusão. O cliente, porém, num esforço para reduzir custos, preferiu não usar esses serviços e trabalhou na integração da fusão sem um aconselhamento externo. Seis meses mais tarde, o cliente não havia alcançado as sinergias que havia prometido à comunidade de investimento quando da fusão. Funcionários-chave haviam deixado a empresa, a estratégia combinada era eventual e os líderes questionavam se haviam feito a escolha certa ao decidir pela fusão. Não podemos garantir que nosso colega pudesse ter evitado esses problemas, mas sabemos que ele tinha experiência em dezenas de outras empresas que haviam enfrentado e superado esses e outros problemas.

Recomendamos a utilização criteriosa e orientada de consultores externos como parceiros para levar adiante a transformação do RH. Como consultores e educadores, temos visto alguns clientes que empregam de forma eficaz os serviços de consultores e outros que não o fazem. Aqui estão algumas dicas para contratação de consultores para a transformação de RH:

- *Contrate e defina os resultados esperados de forma clara e explícita.* Que informação o consultor irá trazer? Que processos serão usados? Quem o consultor colocará no local como seu representante?
- *Certifique-se de que seus consultores tenham conhecimento dos principais desafios enfrentados pela sua empresa.* Forneça informações aos consultores sobre tendências do cliente, percepções do investidor, força do banco de liderança e competência do funcionário. De forma esporádica e polida, questione seus consultores sobre o quanto eles entenderam e estão utilizando essa informação em seu trabalho.
- *Confirme que o consultor tenha um ponto de vista claro e experiência comprovada no conteúdo.* Muitas empresas generalistas oferecem modelos genéricos e apoio ao gerenciamento do projeto. Mas, a não ser que seu objetivo seja apenas contratar mais mão de obra, seja claro sobre o conhecimento que seu consultor irá trazer.
- *Certifique-se de que a empresa de consultoria irá adaptar as próprias ideias e não exigir que você as adote na íntegra.* A adaptação significa que o consultor quer modificar alguns dos princípios básicos partindo de sua situação específica. A adoção significa que o consultor quer que você use as ideias exatamente como estão.
- *Transfira conhecimento para sua equipe.* O conhecimento externo deve ser transferido gradualmente à equipe, não alugado. Isto significa que os consultores devem não apenas compartilhar seus modelos, estruturas e experiências, mas transferir seus *insights* para pessoas-chave na organização.
- *Certifique-se de que os consultores ofereçam uma visão holística da transformação do RH.* Tenha cuidado com uma empresa que proponha

Capítulo 7 - Compartilhe a Responsabilidade pela Transformação

uma abordagem fragmentada, mudando apenas um elemento da grande transformação proposta.

Nossa experiência mostra que os consultores podem agregar valor em pontos específicos do processo.

Avaliando a necessidade de transformação
- Passe um dia com os consultores, analisando como suas empresas-clientes mais bem-sucedidas abordaram a transformação.
- Comprometa-os com a concepção do processo de avaliação e no treinamento do pessoal interno para a realização da avaliação.
- Envolva-os no fornecimento de acesso a outros líderes de RH e no compartilhamento de suas experiências e do que está envolvido na transformação.

Definindo metas
- Use consultores para facilitar o processo de estabelecimento de metas para a transformação.
- Envolva-os no fornecimento de *insight* sobre maneiras como outras empresas estabeleceram metas para a transformação; principalmente peça que o ajudem a testar se os seus planos de transformação são suficientes ou demasiadamente ambiciosos.
- Convide-os a testarem as metas para problemas potenciais que não podem ser previstos.

Planejamento da implementação
- Convide os consultores a identificarem potenciais obstáculos que eles julguem ter prejudicado os esforços de transformação de outras empresas.
- Analise maneiras de obter o envolvimento e apoio de *stakeholders*.
- Peça aos consultores que ajudem a desenvolver um plano de implementação e um cronograma.
- Envolva os consultores na intermediação do processo de mudança.

Avaliando a eficácia da transformação
- Faça os consultores se comprometerem a ajudar, facilitar ou liderar o processo de avaliação e a fornecer um ponto de referência real.

Resumindo, os consultores externos geralmente agregam valor trazendo experiências de outras empresas, antecipando e prevenindo desafios comuns, não se prendendo a um sistema político que poderia limitar a solução criativa de problemas, e sendo contribuintes independentes do processo de transformação do RH. Como em qualquer decisão de usar um consultor, o sucesso depende da escolha do consultor certo, que se envolve de maneira certa, na hora certa.

Combinando diferentes pontos de vista em uma equipe de transformação do RH

Uma equipe de transformação do RH deve incluir representantes dos quatro grupos que definimos neste capítulo: líderes de RH, gerentes de área, clientes e investidores, e consultores. Deve ser apoiada pelo diretor de recursos humanos, o qual deveria aceitar a responsabilidade pela concepção e entrega da transformação do RH. Muitas vezes, é dirigida pelo diretor de RH do RH e composta por representantes do RH das unidades de negócio e de centros de *expertise*, gerentes de área de uma série de empresas (inclusive um membro da alta direção), um consultor externo e representantes dos clientes e investidores. Essa equipe se reúne regularmente para definir e cumprir as etapas da transformação do RH (analisadas no Capítulo 8).

FERRAMENTA 7.2	*Criando uma equipe (externa) de transformação do RH*
▶	Agora que você decidiu quem do RH e da gestão da linha deve estar na sua equipe de transformação, como você vai envolver clientes, investidores e líderes externos inteligentes? Ouça Jon Younger descrever funções externas essenciais para a transformação do RH.
	▶ *Acesse www.TransformHR.com*

FAZENDO ACONTECER

Mesmo com uma cuidadosa descrição das fases e detalhes para a realização de uma transformação no RH, a mudança é difícil. Transformar um departamento de RH é muito mais complicado do que as pessoas geralmente esperam. Fazer a mudança acontecer envolve dois desafios: identificar, de maneira lógica, o que deveria acontecer (este é o *conteúdo* da transformação) e transformar esse conteúdo em algo que efetivamente acontece (este é o *processo* da transformação). Neste capítulo, analisamos ambos de forma a fazer a transformação acontecer.

O que deve acontecer: etapas, atividades e resultados

Em qualquer transformação, as partes se unem em etapas, atividades e resultados. As etapas representam o *que* deve ser feito; as atividades definem *como* é feito; e os resultados informam *como dizer* se foi bem feito. Como trabalhamos com diversas empresas que tiveram sucesso (ou vacilaram) na transformação do RH, identificamos um conjunto de 13 etapas, atividades e resultados que transformam as quatro fases em um plano de ação.

As etapas são apresentadas de maneira linear, mas é muito pouco provável que aconteçam numa sequência rigorosa. O momento da transformação pode variar de acordo com sua cultura, as alterações que pretende fazer, a resistência que espera encontrar, e o nível de apoio que irá receber de toda organização. Mas quando você entende e adapta as 13 etapas, terá mais sucesso na sua transformação. Você pode ser tentado a pular algumas das etapas, mas se fizer isso provavelmente terá que voltar atrás e levar em consideração a etapa perdida a fim de progredir.

Fase 1: contexto do negócio

Etapa 1: Reconheça formalmente o valor de uma iniciativa de transformação de RH.

- *Atividade:* o diretor de RH determina que o momento é propício para uma transformação ao afirmar que as condições do negócio são adequadas, que o RH pode oferecer mais valor para a empresa, e que os líderes de área serão solidários com o esforço. Esta decisão provavelmente virá de observações sobre o negócio e de conversas com outros líderes de negócio.
- *Resultado*: o diretor de RH se torna um patrocinador e o primeiro campeão da transformação do RH. Os gerentes de área compreendem as razões e os benefícios da transformação, percebem como ela irá responder às condições do negócio e, pelo menos inicialmente, a apóiam.
- *Ferramentas*: 2.1 Avaliação da disponibilidade para a transformação do RH
  2.2 Vídeo: Preparando a transformação do RH
  2.3 Métodos para o início da transformação do RH

Etapa 2: Crie uma equipe de transformação.

- *Atividade*: o diretor de RH organiza uma equipe de transformação com o apoio das altas lideranças. Essa equipe deve incluir um amplo espectro de líderes e profissionais de RH (incluindo aqueles dos centros de *expertise* e RH integrado), assim como representantes da gestão de linha. A equipe também deve estar sintonizada com a voz do cliente e do investidor, quer diretamente (envolvendo os clientes e investidores) ou indiretamente (coletando e aplicando, como uma equipe, os dados pertinentes do cliente e do investidor). A equipe deve emitir um documento claro sobre como irá abordar a transformação, inclusive as quatro fases que propomos. Ela também deve definir suas práticas de controle: com que frequência irá se reunir, que decisões irá tomar, como tomará essas decisões, que orçamento irá necessitar, e assim por diante.
- *Resultado*: Uma equipe de transformação do RH é formada a partir de um documento claro para a promoção da transformação. A equipe é

apoiada por gerentes de área e tem confiança e viabilidade reconhecidas em toda a empresa.
- *Ferramentas*: 7.1 Criando uma equipe (interna) de transformação da RH
  7.2 Criando uma equipe (externa) de transformação da RH

Etapa 3: Defina, avalie e priorize as novas realidades do negócio que exigem transformação de RH e mudanças.
- *Atividade*: Sob a direção da equipe de transformação do RH, é feita uma avaliação das realidades do negócio que a organização enfrenta (ver Capítulo 2). As informações sobre essas realidades podem vir de entrevistas com gerentes e especialistas de dentro da empresa, de entrevistas com líderes do setor de fora da empresa (investidores, analistas, membros das associações de classe e de outros líderes importantes) e de dados do negócio (como relatórios de tendências tecnológicas na indústria). As implicações para o RH dessas realidades comerciais são identificadas e compartilhadas com a equipe sênior e com os profissionais de RH de toda a organização.
- *Resultado*: Uma declaração clara das realidades do negócio é divulgada para ajudar as pessoas a saber por que a transformação está ocorrendo e como os principais *stakeholders* se beneficiarão do esforço.
- *Ferramentas*: 2.4 Planilha de análise do *stakeholder*
  2.5 Vídeo do ambiente externo

Etapa 4: Conclua e comunique o *business case* da transformação do RH.
- *Atividade*: A equipe de transformação do RH prepara um *business case,* definindo o que é a transformação, por que deve acontecer e estabelecendo um roteiro para realizá-la. Esta proposta de transformação de RH pode ser apresentada à diretoria, à equipe executiva sênior, à equipe de liderança de RH e a todos os profissionais de RH da organização. Também pode ser incluída em apresentações dos altos líderes quando eles discutem sua resposta a novas estratégias do negócio.

- *Resultado*: Participantes-chave da transformação de RH (líderes de negócio, profissionais de RH e funcionários) entendem por que a transformação de RH é uma atividade oportuna.
- *Ferramentas*: 2.6 Planilha do *business case*
  2.7 Vídeo do *business case* da transformação do RH

Fase 2: resultados

Etapa 5: Faça uma auditoria da capacitação organizacional para identificar as duas ou quatro maiores capacitações exigidas pela estratégia de negócios.

- *Atividade:* Faça uma auditoria de capacitações organizacionais na unidade organizacional em que a transformação do RH está ocorrendo (corporação, unidade de negócio, divisão, país ou fábrica). Faça uma lista das possíveis capacitações e as demonstre em termos que sejam relevantes para seu negócio. Peça uma análise transversal de pessoas para avaliar a importância dessas capacitações, considerando a estratégia do negócio. Priorize as capacitações mais importantes para a organização. Compartilhe essa informação com *stakeholders*-chave da transformação.
- *Resultado*: As capacitações organizacionais são identificadas e compartilhadas.
- *Ferramentas:* 3.1 Vídeo das capacitações organizacionais
  3.2 Avaliação das capacitações organizacionais

Etapa 6: Operacionalize as capacitações-chave e defina-as como os resultados da transformação do RH.

- *Atividade:* Transforme as capacitações identificadas na Etapa 5 (na auditoria de capacitações) em medidas específicas que podem ser monitoradas e controladas. Essas medidas podem ser criadas por meio de debates sobre quais indicadores irão mostrar se essas capacidades são alcançadas. Depois, esses indicadores podem ser acrescentados às medidas baseadas em comportamento e resultado. Essas medidas devem ser legitimadas e alinhadas com o *balanced scorecard* da organização e sob a responsabilidade dos gerentes de área.
- *Resultado*: Os produtos da transformação se tornam um *scorecard*.
- *Ferramentas:* 3.3 Vídeo: Operacionalizando suas capacitações

Capítulo 8 – Fazendo Acontecer

Etapa 7: Mostre como a realização dessas capacitações irá beneficiar os funcionários, gerentes de área, clientes, investidores, comunidades e outros *stakeholders*.

- *Atividade*: Identificação de cada um dos *stakeholders*-chave afetados pela transformação do RH. O resultado da transformação para cada *stakeholder* deveria ser definido em resultados específicos e mensuráveis. Esta etapa pode acontecer quando um subgrupo da equipe de transformação do RH coleta informação sobre o relacionamento atual e potencial de cada *stakeholder* com a organização. Essa informação se revela por meio de respostas à pergunta: Se esta transformação de RH for bem-sucedida o que [*stakeholder* registrado] irá receber? As respostas podem vir de entrevistas com *stakeholders* ou com aqueles que trabalham diretamente com eles.
- *Resultado*: Pode ser preparado um mapa da transformação do RH que mostre o valor da transformação para cada *stakeholder*.
  Ferramentas: 3.4 Mapeamento das capacitações para os *stakeholders*.

Fase 3: redesenho do RH

Etapa 8: Crie uma declaração de estratégia de RH: quem somos, o que fazemos e por que fazemos.

- *Atividade*: Trabalhe com sua equipe sênior de RH, envolvendo outros *stakeholders*-chave, para criar uma declaração de estratégia de RH (isso pode ser denominado visão, missão, objetivo ou outra declaração do RH). Como sugerimos no Capítulo 4, essa declaração deveria responder as seguintes perguntas:

1. Quem somos? (Sua declaração de identidade e reputação como departamento de RH.)
2. O que entregamos? (Um resumo do trabalho que você realiza como um departamento de RH.)
3. Por que fazemos isso? (A definição dos resultados de seu trabalho de RH, com foco nas capacitações-chave necessárias para o sucesso do negócio.)

Essa declaração de estratégia de RH deveria ser analisada e legitimada com os gerentes de área, a comunidade de RH e outros na organização. Deve estar alinhada com o processo da transformação do RH. Deve ser discutida e lembrada periodicamente nas reuniões e fóruns de RH. Deve ser um guia do RH para a contratação de novas pessoas, para a promoção de pessoas para uma função sênior e para o desenvolvimento de futuros profissionais.

- *Resultado*: Os que estiverem dentro e fora da comunidade de RH entenderão a estratégia do departamento de RH.
- *Ferramentas*: 4.1 Planilha da declaração de estratégia
  4.2 Vídeo: Delineando uma poderosa estratégia de RH

Etapa 9: Prepare a organização do RH com responsabilidades claras para os centros de *expertise*, RH incorporado, RH operacional, serviços compartilhados e a corporação.

- *Atividade*: Crie um foco claro no trabalho estratégico e no trabalho transacional. O modo como seu departamento de RH está organizado atribui responsabilidades e define como é feito o trabalho de RH. Conforme analisado no Capítulo 4, há cinco áreas gerais de responsabilidade, ou canais, nos quais os profissionais de RH podem trabalhar:

Centros de serviço

RH corporativo (supervisão do RH)

RH incorporado (parcerias estratégicas de negócio)

Centros de *expertise (expertise* do RH)

Execução operacional

Sua equipe de transformação do RH pode definir as expectativas de cada uma dessas cinco áreas de acordo com a conveniência. Depois, a equipe irá auditar até que ponto cada uma dessas cinco áreas pode ser aplicada à sua empresa. Algumas empresas têm diferenças claras entre as cinco áreas. Outras combinam algumas dessas áreas de trabalho devido à escala ou foco de seus departamentos. A preocupação principal é assegurar que a estrutura da organização de RH seja consistente com a estrutura da organização do negócio. Quando a estrutura do departamento de RH estiver esclarecida você pode começar a identificar posições-chave dentro desses cinco canais. As exigências ou descrição de trabalho para cada área de trabalho podem ser delineadas, e as pessoas podem ser definidas para essas posições. A garantia de que as funções estão concentradas no trabalho estratégico ou no trabalho transacional irá aumentar a eficiência e eficácia de ambos.

A implementação da estrutura de RH geralmente começa com o investimento em tecnologia para garantir que os serviços compartilhados possam realizar as tarefas administrativas do RH. Depois, as responsabilidades da corporação, centros de *expertise*, RH incorporado e RH operacional são definidos e as equipes são formadas. Também é importante criar um documento para que os diferentes grupos possam trabalhar juntos: que informação irão compartilhar, como tomarão as decisões, e assim por diante. Uma nova estrutura de RH normalmente exige não apenas um organograma, com áreas de trabalho, funções e pessoas alocadas, mas também necessita de um processo consentido para chegar a essas decisões. De preferência, aqueles que são citados no organograma recebem a oportunidade de participar na definição de suas respectivas funções e responsabilidades.

Também pode ser útil criar o que chamamos de "regras de engajamento". O documento com as regras de engajamento explica como aqueles que estão em cada uma das áreas de trabalho do RH se conectam com os outros em termos de compartilhamento de informação, tomada de decisões, apoio à atividade e fontes necessárias. Esse documento também pode especificar como os funcionários e gerentes de área podem acessar o departamento de RH para atender suas necessidades.

- *Resultado*: O departamento de RH tem um cronograma com funções e relações de subordinação definidas e um documento sobre como o departamento de RH irá trabalhar para atender as necessidades de seus *stakeholders*.
- *Ferramentas*: 4.3 Vídeo do trabalho estratégico *versus* transacional

Etapa 10: Faça uma auditoria das práticas de RH para priorizar aquelas que se alinharão com a estratégia, se integrarão com as outras e serão inovadoras.

- *Atividade*: A auditoria das práticas de RH ajuda a determinar onde o dinheiro, o tempo e as pessoas devem ser investidos para agregar o maior valor. Aqui estão algumas formas de auditar as práticas de RH:

1. *Melhores práticas.* Você pode definir as melhores práticas para pessoas, desempenho, informação e trabalho, e então avaliar até que ponto sua empresa trabalha de acordo com esses padrões. Se você estiver seguro de quais são as melhores práticas, esta abordagem fornece informações valiosas sobre a forma como sua organização atua em relação a esses novos padrões.
2. *Percepções.* Você pode fazer uma auditoria de RH de 360 graus na qual os funcionários, gerentes de área e profissionais de RH avaliam até que ponto percebem que as práticas de RH agregam valor para eles e para sua organização. Esta abordagem, que chamamos de "a beleza está nos olhos de quem vê" o ajuda a descobrir o valor percebido das práticas de RH para aqueles que as estão usando.
3. *Estratégia.* Você pode avaliar a dimensão em que cada prática de RH se alinha com a estratégia de sua organização. Você faz isso registrando como cada prática de RH facilita a criação de capacitações organizacionais e a realização de sua estratégia de negócio. A avaliação o ajuda a saber quais práticas de RH estão auxiliando na realização da estratégia.
4. *Integração.* Por meio de uma auditoria de integração, você pode medir até que ponto suas práticas de RH se ligam umas às outras. Para fazer essa auditoria, crie uma matriz com práticas de RH anotadas nos dois eixos. Depois, observe em cada célula até que ponto as práticas coincidem umas com as outras. Por exemplo, se você está contratando novos funcionários com habilidades ABC, e treinando funcionários para dominar as habilidades ABC, você tem uma conexão +10, mas se você estiver contratando funcionários com base nas habilidades ABC, mas treinando DEF, você tem uma conexão –10. Esta avaliação o ajuda a determinar até que ponto suas práticas de RH trabalham integradas.

Se você está mais preocupado em saber se suas práticas de RH são modernas, recomendamos as melhores práticas de auditoria para comparar sua opinião com a das melhores organizações mundiais na sua e em outras áreas. Se você está mais preocupado com a reputação de seu departamento de RH, faça uma auditoria das ideias. Se sua preocupação é oferecer uma abordagem integrada no RH, escolha a auditoria de integração. As empresas mais importantes geralmente utilizam múltiplas abordagens de auditorias de RH para que possam criar um quadro completo da qualidade de seus investimentos.

Independente da auditoria de RH que você utilizar, seu objetivo é priorizar as práticas de RH que devem receber um investimento desigual de dinheiro, tempo e talento. Investir igualmente em todas as práticas de RH talvez o torne bom em muitas delas, mas não será excelente em nenhuma. Ao priorizar, é útil identificar quais práticas de RH podem levar à eficiência em outras práticas.

- *Resultado*: Você poderá expressar claramente em quais práticas de RH de deve investir para agregar valor. Isto cria um modelo de como priorizar o trabalho do RH.
- *Ferramentas*: 5.1 Visão geral dos seis Bs
  5.2 Visão geral do VOI^2C^2E
  5.3 Planilha de avaliação da estratégia
  5.4 Vídeo sobre transformação das práticas de RH

Etapa 11: Defina o que torna um profissional de RH eficaz em termos de função, competências e atividades.

- *Atividade*: O aprimoramento de seus profissionais de RH necessariamente determinará o sucesso de sua transformação. Sob a direção da equipe de transformação do RH, você pode criar uma equipe de projeto responsável pela criação de um modelo de competência para os profissionais de RH. Eles começam esse trabalho especificando o que seus profissionais de RH precisam saber e fazer para terem sucesso. A definição de sucesso surge quando você considera as funções e as atividades do RH, mas atinge o auge quando ficam claras as competências que os profissionais de RH precisam demonstrar para serem eficientes. Você pode criar padrões para os profissionais de RH fazendo pesquisas sobre o que os torna eficazes (veja nosso trabalho em *HR Competencies*) e depois adaptando essa pesquisa à sua organização. Essa adaptação surge a partir de entrevistas com líderes empresariais, clientes, investidores e líderes de RH a fim de descobrir o que eles mais ou menos esperam dos profissionais de RH de sua organização.

Resultado: Você terá um padrão do que faz com que um profissional de RH seja eficaz, e isso resulta em um modelo de competência para os profissionais.

Ferramentas: 6.1 Visão geral das competências do RH
6.2 Resumo das pesquisas sobre competências do RH
6.3 Avaliações das competências do RH

Etapa 12: Avalie e invista em profissionais de RH para certificar-se de que eles têm a capacidade de fazer a transformação.

- *Atividade*: Você pode avaliar até que ponto seus profissionais de RH demonstram ou não essas competências utilizando o modelo de competência de RH de sua organização. Fazer uma análise de 360 graus ajuda todos seus profissionais de RH a avaliarem pontos fortes e fracos. Cada profissional de RH pode receber um relatório pessoal para usar como base de um plano de investimento individual. Esse plano se concentra em como o profissional de RH pode aprimorar habilidades por meio de treinamento, experiência profissional e aprendizado pessoal. Investir em desenvolvimento de RH ajuda seus profissionais a atingirem expectativas mais altas.
- *Resultado*: Todos os profissionais de RH saberão o que se espera deles para que sejam eficientes no trabalho, aprenderão de que maneira estão à altura dessas expectativas e serão capazes de preparar um plano de desenvolvimento pessoal para melhorar.

Ferramentas: 6.4 Vídeo sobre o desenvolvimento estratégico do profissional de RH.

Fase 4: responsabilidade do RH

Etapa 13: Certifique-se de que a equipe de transformação do RH seja constituída pelo conjunto correto de pessoas e esteja comprometida com as atividades certas.

- *Atividade*: No início de sua transformação do RH, monte uma equipe para dirigir e supervisionar a transformação. Essa equipe tem a responsabilidade de garantir que a transformação progrida de maneira adequada e coerente. Ela deve desenvolver um plano para toda a transformação que coloque em um gráfico de responsabilidade as etapas que apresentamos. Esse plano deve ser regularmente revisado e atualizado, para manter a transformação no rumo certo. A equipe de transformação também se compromete com a auditoria de capacitação organizacional e as auditorias de RH dos departamentos, práticas ou pessoas. A equipe avalia esses dados e cria fluxos de trabalho que fazem com que a transformação avance. Frequentemente, ela comunica o progresso e os próximos passos da transformação aos *stakeholders*-chave. Também é ela que controla os resultados da transformação para comunicar o sucesso e identificar pontos de melhorias.

- *Resultado*: Uma equipe de transformação do RH de alta performance irá garantir o progresso da transformação. Você sabe se sua equipe de transformação está trabalhando bem quando ela continua no rumo e entrega os resultados mostrados na Fase 2.
- *Ferramentas*: 8.1 *Checklist* das etapas da transformação do RH
    8.2 *Checklist* do piloto
    8.3 Vídeo das responsabilidades e mudanças

FERRAMENTA 8.1	Checklist *das etapas da transformação do RH*
	Ao longo de seu processo de transformação, utilize o *Checklist* das Etapas da Transformação do RH como um guia. Faça o *download* e imprima uma cópia do *Checklist* das Etapas.
	▶ Acesse www.TransformHR.com

Transformar o que deve acontecer no que realmente acontece

As etapas lógicas são planos de como continuar com sua transformação do RH. Agora é importante fazer do plano uma realidade. Em nosso trabalho de gestão de mudanças dentro das organizações, descobrimos que, algumas vezes, os planos não são implementados como planejado. Um desafio importante de qualquer esforço de mudança é transformar o que deveria ser feito (as etapas para transformação de RH) no que efetivamente é feito. Nos últimos 20 anos, temos estudado mudanças eficazes nas organizações e descobrimos os sete fatores-chave mostrados na Tabela 8.1, cada um deles transformando boas intenções em uma realidade bem-sucedida. Você pode adaptá-las para ajudar a sua transformação de RH.

Você pode auditar estas sete condições para o sucesso no início, no meio ou no final de seu projeto de transformação. Este perfil de mudanças indica onde você deve se concentrar em ajudar no progresso de sua transformação. Por exemplo, quando a equipe de transformação do RH estiver forma-

Tabela 8.1 *Condições para alterações bem sucedidas*

CONDIÇÕES PARA MUDANÇAS BEM-SUCEDIDAS	IMPLICAÇÕES PARA A TRANSFORMAÇÃO DO RH
Liderança: Ter apoio da liderança para a mudança	Obter apoio da liderança para a transformação do RH: linha e RH
Criar uma necessidade compartilhada: Saber por que você está fazendo a transformação	Construção de um caso explicando porque a transformação de RH agrega valor
Previsão: Desenvolver uma noção clara dos resultados da transformação	Ter um modelo do que consiste a transformação do RH: práticas, funções, pessoas.
Engajamento: Mobilizar o comprometimento de pessoas-chave	Obter a adesão de todos, linha e RH (comitê geral)
Tomada de decisões: Saber as decisões que devem ser tomadas para que a transformação progrida	Começar devagar focando, as decisões iniciais
Institucionalização: Certificar-se de que a transformação se integre com as atividades do negócio	Entrelaçar a transformação do RH com todas as práticas de RH e todos os sistemas de alocação de recursos da empresa
Supervisionar e aprender: Controlar o sucesso da transformação	Refinar e ajustar o plano, controlando o progresso e aprendendo com a transformação.

da, ela pode fazer um perfil de alteração para marcar os pontos que pedem mais tempo e atenção.

Até que ponto sua transformação de RH tem...

1. *Um líder*: uma liderança pública e legítima, dentro e fora do RH, que promova a transformação do RH?
2. *Uma necessidade compartilhada*: uma linha de visão de novas realidades de negócio para mostrar como o RH irá gerar valor para essas realidades?
3. *Um ponto de vista*: consequências e resultados da transformação do RH claramente definidas?
4. *Engajamento*: apoio das pessoas que terão de implementá-la?
5. *Decisões*: uma lista das decisões que precisam ser tomadas nos departamentos de RH, sobre as práticas e pelas pessoas, para fazer com que a transformação aconteça?
6. *Institucionalização*: apoio institucional suficiente para garantir que ela siga adiante (orçamento, pessoas, informação, tecnologia) e que esteja integrada com outros processos do negócio?
7. *Medidas*: métricas estabelecidas para monitorar o que você está fazendo e como pode melhorar?

As respostas a essas perguntas podem ser traçadas em um gráfico, como o da Figura 8.1, para diagnosticar onde você deve se concentrar para fazer o maior progresso em sua transformação. As seções a seguir apresentam sugestões para a criação de cada uma dessas sete condições para o sucesso.

FERRAMENTA 8.2	Checklist *do piloto*
	Faça o *download* e imprima uma cópia do *Checklist* do Piloto e aprenda mais sobre recursos para a gestão de mudanças sustentáveis.
	▶ Acesse www.TransformHR.com

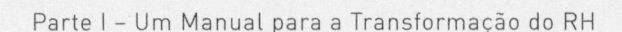

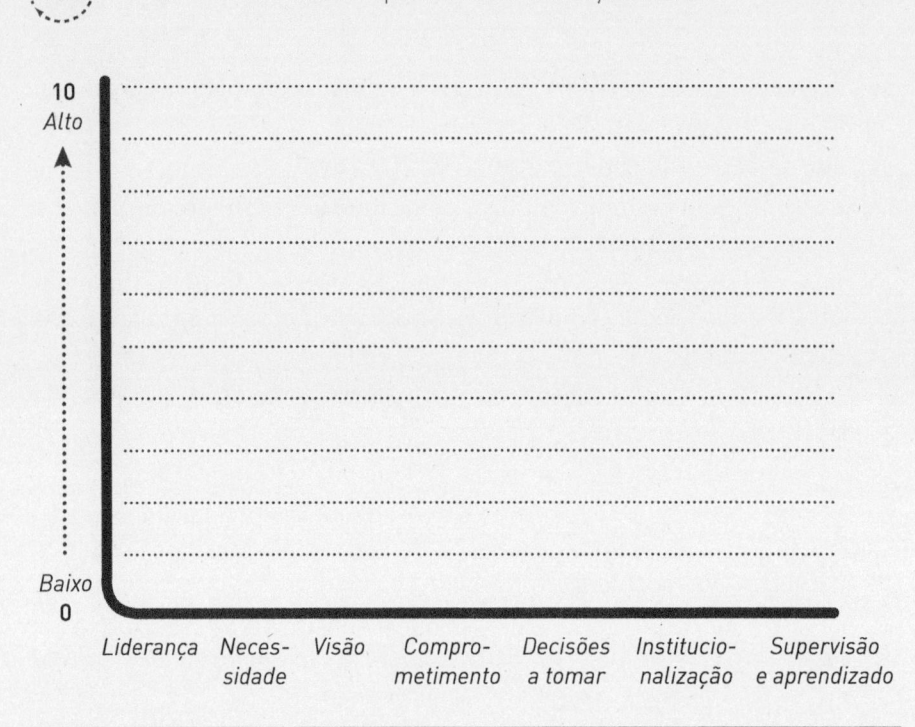

```
10
Alto
▲
⋮
⋮
⋮
⋮
⋮
⋮
⋮
⋮
⋮
Baixo
0
     Liderança  Neces-  Visão  Compro-    Decisões  Institucio-  Supervisão
                sidade         metimento  a tomar   nalização    e aprendizado
```

Figura 8.1 *Perfil da transformação do RH.*

Conduzindo a mudança

Os líderes de qualquer mudança apoiam, promovem e dão forma à mudança. Eles apoiam a mudança tornando-a uma prioridade, alocando recursos (pessoas e dinheiro) e controlando-a para se certificarem de que está no rumo. Os apoiadores da transformação do RH provavelmente serão os diretores de RH e membros da equipe executiva que consideram importante essa transformação para o sucesso do negócio. Um campeão é o líder da transformação que tem a principal responsabilidade de levá-la adiante. Ele dedica uma parte considerável de seu tempo para isso e administra suas atividades diárias. Nas grandes empresas, essa pessoa geralmente é o responsável pelo RH do RH ou outra pessoa designada a conduzir o trabalho diário da equipe de transformação do RH. Todos os líderes envolvidos precisam formar pessoalmente um comprometimento para a mudança.

A transformação do RH exige que os líderes, dentro e fora do RH, incentivem ideias inovadoras, estejam dispostos a mudar seu comportamento e fazer investimentos.

Criando uma necessidade compartilhada

A mudança não acontece até que a necessidade de mudança seja maior do que a resistência à ela. Praticamente todas as mudanças são desagradáveis, exigindo crescimento, aprendizagem e experimentação. Quando empreendemos qualquer mudança pessoal, corremos o risco de ter dificuldades e fracasso. A maioria de nós não quer mudar sem uma clara e convincente razão. Na transformação do RH, a necessidade de mudança surge da insatisfação com alguns elementos no presente, ou de uma convincente visão do que poderia ser, ou de ambos.

A equipe de transformação do RH deve estar insatisfeita com a situação atual do RH e ter uma convincente visão de um futuro melhor. A insatisfação com o *status quo* geralmente pode ser provocada pelas seguintes perguntas:

- *O que nossos stakeholders de RH estão nos dizendo?* Para ilustrar problemas que precisam ser tratados, encontre e utilize citações de funcionários, gerentes de área, clientes ou investidores. Comunique amplamente exemplos de fracassos de RH e seus impactos na organização.
- *Como estamos atuando em comparação com outras funções do RH?* Compare dados de pesquisas de competência ou auditorias de departamentos com outras empresas ou outras unidades de negócio de sua organização. Utilize dados de *benchmark* como proporção de número de funcionários ou percentagens de receitas.
- *O que estamos fazendo está em conflito com nossos objetivos e valores organizacionais, individuais e funcionais?* Dizemos que o RH ajuda os gerentes de área a mudar, mas resistimos às mudanças? Falamos sobre alta performance sem padrões ou consequências?

Entretanto, o segredo para manter a dissonância produtiva não está em identificar todas as áreas de falha ou as expectativas não atendidas.

Está na escolha dos exemplos que apoiam as áreas de desenvolvimento mais importantes e no uso dessa informação para manter uma necessidade de mudança, que oscila em resposta aos recursos de mudança de RH da empresa.

Desenvolvendo uma visão

É muito fácil e normal que a equipe de transformação se concentre apenas na estrutura do RH (quem se reporta a quem, quem influencia o que ou como montar um organograma) e nas práticas de RH (maneiras de tratar de talento, treinamento, remuneração e outros assuntos). É importante para a equipe de transformação prestar atenção aos resultados da Fase 1 (por que fazer a transformação) e da Fase 2 (resultados da transformação). Ambos reforçam o ponto de vista ou objetivo da transformação. Quando esses resultados são continuamente enfatizados, os detalhes necessários para transformar uma organização, as práticas e as pessoas de RH podem continuar a se basear em objetivos fundamentais. Quando acontecem os inevitáveis debates sobre o que deve ser feito para avançar com a transformação, um retorno a esses objetivos básicos geralmente irá mostrar o rumo. Por exemplo, uma empresa estava estagnada na determinação do equilíbrio do poder entre os profissionais integrados de RH e os centros de *expertise*. Cada grupo intercedeu por um papel mais central na geração de valor do RH. Como resultado, passaram mais tempo definindo os lados do que progredindo. Para solucionar essa discussão, a equipe de transformação retomou as condições do negócio, que privilegiava mercados maduros, produtos envelhecidos e a importância de criar inovação como uma capacitação corporativa importante. Revendo essas importantes considerações estratégicas, eles foram capazes de se concentrar onde o RH poderia fomentar a maior inovação, seja no nível da corporação ou nos negócios. Isso os levou a produzir um consenso sobre como resolver a discussão.

Um teste da visão da transformação do RH é fazer uma simples pergunta a diversos *stakeholders* – desde executivos da diretoria, passando pela equipe executiva do RH, pelos funcionários até os profissionais de RH: O que acontecerá se a transformação do RH for bem-sucedida? O consenso desta questão confirma a visão da transformação.

Comprometendo outras pessoas

Em qualquer esforço de mudança, cerca de 20% dos funcionários colaboram e querem ajudar; 20% são preguiçosos que resistirão e provavelmente não irão mudar, independente do que o responsável faça; e 60% podem ser convencidos a mudar. É fascinante cercar-se daqueles que já estão comprometidos com um esforço de mudança ou despender tempo e esforço tentando convencer os preguiçosos, mas nenhuma das duas abordagens funciona. Em vez disso, mantenha sua energia, desenvolvendo os colaboradores e contornando os resistentes, e concentre-se nos 60% intermediários. As pessoas se tornam totalmente engajadas quando participam do esforço de mudança. Essa participação surge da troca de informações, de um comportamento já comprometido e da consolidação dos novos comportamentos necessários.

Na transformação do RH, é importante reconhecer os *stakeholders* que serão afetados por ela, inclusive os gerentes de área, os líderes de RH no topo da organização de RH, o pessoal de RH por toda a organização e outros funcionários. O envolvimento de representantes desses grupos pode ser feito diretamente, quando eles participam das discussões e decisões da transformação, ou indiretamente, garantindo que suas preocupações e ideias sejam apresentadas nas discussões.

Você pode ajudar a aumentar o engajamento dos *stakeholders* no processo envolvendo-os, quer com sua presença ou sua essência.

Tomando decisões

Para que a transformação do RH seja eficaz, muitas decisões precisam ser tomadas. Descobrimos que a maioria dos bons líderes quer tomar decisões quando os protocolos de decisão estão claros. Descobrimos cinco regras que formam um protocolo de decisão e ajudam a prosseguir com qualquer esforço de mudança (ver Tabela 8.2). Essas cinco regras podem ser aplicadas pela equipe de transformação para evoluir de forma disciplinada.

Institucionalizando

Institucionalizar a transformação do RH exige a incorporação da transformação na organização de modo que fique mais tempo integrando os fluxos de trabalho de RH e desenvolvendo-os na cultura.

Tabela 8.2 *Regras de decisão e transformação do RH*

ÁREA DE DECISÃO	REGRA	APLICAÇÃO PARA A TRANSFORMAÇÃO DO RH
Clareza da decisão	Seja claro sobre quais decisões precisam ser tomadas.	A equipe de transformação deve identificar escolhas para cada uma das seguintes decisões: • Equipe de transformação do RH: composição e liderança • Caso de RH para mudança: quem faz o caso e quem prepara o resumo • Resultados da transformação do RH: o que são e como reconhecê-los • Departamento de RH: relatando relacionamentos • Práticas de RH: quais priorizar e como mudá-las • Profissionais de RH: como melhorar suas habilidades e seu conhecimento
Responsabilidade da decisão	Designe alguém para ser responsável pela tomada de decisão.	• Alguém deve ser responsável por cada uma das principais decisões. A pessoa responsável por ser o diretor de RH, o chefe do RH para RH ou outra pessoa designada para essa tarefa.
Cronograma de decisões	Certifique-se de que há um prazo final conhecido para a tomada de decisão.	• O prazo final para cada decisão pode ser estabelecido dependendo da amplitude e da abrangência da decisão. Quanto mais conhecido o prazo final, melhor.
Processo de decisão	Crie um processo para tomar a decisão (pessoas e definições corretas, e assim por diante).	• O processo de decisão define como a decisão é tomada: quem está envolvido na decisão (do RH, da linha e dos stakeholders), qual a precisão que a decisão precisa ter (o risco que implica na escolha do RH) e quais os primeiros passos para a tomada de decisão.
Acompanhamento da decisão	Controle e monitore a decisão	• Controlar significa mensurar e saber se a decisão é correta para que aconteçam aprendizado e melhoria.

Integrando o trabalho de RH

Apesar de examinarmos neste livro as estruturas do departamento de RH, as práticas de RH e as pessoas de RH em capítulos separados, devemos considerá-los juntos durante o esforço de mudança. Caso contrário, haverá um desalinhamento que tornará impossível atingir os resultados desejados. Na vida real, as estruturas de departamento, as práticas e as pessoas deveriam ser tratadas paralelamente, não em sequência. Por exemplo, se você mexer com o sistema de gestão de desempenho para criar uma maior colaboração, terá que garantir que os programas de treinamento também promovem maior colaboração. No início da transformação, a gestão da integração entre as mudanças nas pessoas, nas práticas e no departamento provavelmente exigirá tempo e esforço. Felizmente, o processo integrado tende a tornar-se padronizado e rotineiro. A equipe de transformação do RH deve olhar o estado atual de todo o departamento de RH através da lente dos resultados da iniciativa desejados e identificar o que deve ser mudado e como – e, então, garantir que os processos de RH, estruturas e pessoas estejam integrados e alinhados.

Mudando a cultura

Cultura é o padrão de atividades dentro de uma empresa que reflete as expectativas do cliente externo e do investidor. Na prática, é fácil focar nos eventos e nas atividades, mas não em padrões. Para criar uma mudança duradoura, entretanto, é essencial focar menos o evento ou a atividade, e mais as séries de atividades (no padrão). Em sua transformação do RH, trate da iniciativa não como um evento único ou mesmo uma série de eventos relacionados, mas como um novo padrão de comportamento que é a personificação de um novo modo de pensar. A criação de novos padrões acontece quando as atividades envolvidas são assimiladas à maneira como o trabalho é feito. A mudança não é algo que acontece em um seminário, numa reunião da equipe ou em uma análise do processo; ela acontece natural e continuamente, durante todas as atividades de trabalho. Criar uma nova mentalidade significa que os líderes de RH servem de modelo e incentivam os profissionais de RH para que constantemente aprendam, desaprendam, melhorem e aceitem a inevitabilidade da mudança.

Um novo padrão significa a criação de uma nova cultura. Descobrimos que as culturas permanecem quando a cultura interna foca os clientes externos. As mudanças que os funcionários de RH e as organizações fazem internamente podem e devem ser associadas, de forma clara e direta, às expectativas de clientes e investidores. A mudança não é uma brincadeira injusta, com o objetivo de distrair os funcionários; é uma maneira de melhorar todos os aspectos da administração da empresa e dos resultados. Os eventos tornam-se padrões e as ações são assimiladas. Forma-se uma identidade e a mudança permanece.

Monitoramento e aprendizagem

Qualquer transformação exige medir o progresso para que se possa saber o que está e o que não está funcionando. A partir dessas medidas, acontece a aprendizagem e as melhorias podem ser feitas. Os líderes de RH precisam identificar e mensurar os principais indicadores para que possam perceber os primeiros sinais de sucesso ou fracasso, implementar mecanismos de aprendizado que permitirão a identificação do que funcionou e do que não funcionou, investigar a razão e criar mudanças para assegurar um desempenho futuro melhor. A aprendizagem torna-se um círculo virtuoso quando o controle de indicadores relevantes leva a *insight*, que leva a uma melhoria contínua e a futuros aprendizados, que levam a resultados melhores que podem ser medidos. Nas organizações bem-sucedidas, o monitoramento e a aprendizagem ocorrem continuamente, nos bons e maus tempos.

Os líderes engajados em monitoramento contínuo coletam informação sobre o que funcionou e o que não funcionou, controlam tanto os dados quantitativos quando os qualitativos de várias fontes e identificam tendências e temas a partir deles. Medem o que precisam medir – não só o que é fácil – controlando comportamentos (o que foi feito) como indicadores de tendência, e êxitos (o que foi realizado) como indicadores de resultados. Os líderes que aprendem a ver padrões nos eventos, analisam os problemas de forma crítica e criativa, são justos e conscientes sobre pontos fortes e fracos, experimentam coisas novas, adaptam novas práticas e sempre buscam *feedback*.

A institucionalização também significa que a nova administração e as aspirações do RH estão incorporadas em sistemas de RH. Isso significa que são contratados novos profissionais de RH que tenham habilidades para suprir as expectativas futuras e que o treinamento de RH, a gestão de desempenho, a remuneração e a comunicação são projetados e entregues de maneira a criar capacitações organizacionais, principais resultados da transformação. Quando isso acontecer, a transformação do RH começará a ter um sucesso sustentável que pode ser realizado tanto dentro como fora do departamento de RH, valorizando os sucessos e aprendendo com os fracassos.

Resumo: o processo para fazer a transformação do RH

Quando existem essas sete condições, as etapas para a transformação do RH tornam-se factíveis. Quando essas etapas acontecem, os profissionais de RH se tornam parceiros plenos para ajudar um negócio a progredir. O RH pode ajudar as organizações a obter o máximo valor de seu pessoal e de suas organizações ao mesmo tempo em que assegura que os trata como indivíduos com necessidades, aspirações e sonhos únicos. Que privilégio poder ser um profissional de RH que alcança objetivos que melhoram tanto o mundo dos negócios quanto o mundo das pessoas!

FERRAMENTA 8.3	*Responsabilidade e mudança*
▶	Você já leu o livro, agora está na hora de fazer a mudança acontecer. Ouça os comentários finais de Dave Ulrich e aposte na profissão de RH.
	▶ *Acesse www.TransformHR.com*

II

HISTÓRIAS DAS TRINCHEIRAS: ESTUDOS DE CASOS DE TRANSFORMAÇÃO

VISÃO GERAL DE ESTUDO DE CASO

Se uma imagem vale por mil palavras, esperamos que nossas "mil palavras" nas páginas seguintes expressem uma imagem da verdadeira transformação do RH em empresas reais, realizada por pessoas reais. Nesta seção, apresentamos casos de membros do Instituto RBL: Flextronics, Pfizer, Intel e Takeda, que gentilmente aceitaram nosso convite para compartilhar suas histórias da transformação do RH. Aqui precisamos observar que a verdadeira transformação do RH é um processo contínuo e não um evento isolado; consequentemente, apresentamos cada um dos estudos de caso como uma fotografia da transformação em movimento, e não como uma escultura de um herói esculpido na pedra. Após o fim da documentação de cada caso, nossas empresas "cobaias" continuaram a se movimentar e a mudar – como deveriam! O próprio fato de iniciarmos a transformação do RH com o contexto do negócio (ver Capítulo 2) exige continuas reavaliações e renovações de como o RH se movimenta para gerar as capacitações organizacionais que permitam que a empresa execute sua estratégia com sucesso.

- *Flextronics (criando a partir do zero):* Começamos nossos estudos de caso com a Flextronics, uma empresa de $33 bilhões que criou sua organização de RH estratégica a partir do zero. Em 2006, a Flextronics reconheceu que o RH era um elemento essencial para assegurar o sucesso de seus planos de quadruplicar as receitas num período de cinco anos. Mas ela não tinha uma função de RH centralizada, e muito menos estratégica. No exemplo *tabula rasa* final, acompanhe a fascinante história da Flextronics para saber como Paul Humphries e Quinn Wilson criaram uma função estratégica de RH a partir do zero.
- *Pfizer (transformando um grande sistema estabelecido):* Nosso segundo caso destaca um trabalho abrangente feito na Pfizer para transformar radicalmente uma antiga função de RH, a fim de atender as necessi-

dades de um ambiente novo e altamente competitivo. Chris Altizer e Michele Bolden explicam o processo a que se submeteram para separar o estratégico do tático, concentrando seus profissionais de RH no trabalho mais importante de agregar valor no longo prazo. Leia o caso da Pfizer para conhecer melhores práticas na transformação do RH em uma indústria-líder estabelecida para atender novas necessidades de negócio.

- *Intel (mudando de tático para estratégico):* Como uma função, o RH precisa se transformar de tático para estratégico. Nosso terceiro caso descreve a iniciativa da Intel de mudar de um RH tático altamente eficiente para o fornecimento de uma forte capacitação de RH estratégica. Patty Murray e Richard Taylor descrevem sua jornada na criação de uma função de RH com excelência operacional, mas que procura, ao mesmo tempo, a consultoria e o apoio tão necessários aos gerentes de área.
- *Takeda (valor agregado do RH em uma subsidiária pequena e ágil)*: Concluímos nosso conjunto de estudos de caso com um modelo de transformação do RH em uma agressiva organização empreendedora que busca roubar participação no mercado em meio à incerteza econômica. Laurene Bentel e Sandy Mitsch proporcionam uma visão criteriosa do caminho em que elas conduziram sua equipe, para assegurar que o RH era aerodinâmico e flexível, a fim de gerar as capacidades organizacionais corretas, na hora certa, durante uma curva de crescimento acentuado.

FLEXTRONICS: CONSTRUINDO UMA ORGANIZAÇÃO ESTRATÉGICA DE RH A PARTIR DO ZERO

9

Paul Humphries e Quinn Wilson

Talvez você nunca tenha ouvido falar da Flextronics, mas já usou os produtos feitos por ela. A Flextronics é uma das maiores empresas de produtos eletrônicos, com uma oferta de produtos e serviços para grandes empresas da área. O relatório anual da Flextronics inclui clientes como Cisco Systems, Dell, Hewlett-Packard e Xerox, entre outros. Na realidade, qualquer pessoa que use uma câmera digital pode se surpreender ao saber que há grandes possibilidades de que ela tenha sido produzida, projetada e distribuída pela Flextronics. Desde a engenharia de projeto até a fabricação e a montagem, desde a distribuição e armazenamento até as devoluções e os consertos, a Flextronics produz placas de circuito impresso, componentes eletromecânicos, subsistemas e sistemas completos para uma ampla gama de equipamentos de redes e telecomunicações, computadores, eletrônicos de consumo e empresas de instrumentação médica. Com receitas superiores a $33 bilhões no ano fiscal de 2009 e mais de 200.000 funcionários, a Flextronics é líder dentro da indústria de produtos eletrônicos.

Fase 1: contexto do negócio

De 1993 a 2003, a Flextronics alavancou grande agilidade e várias aquisições estratégicas, crescendo de um negócio de $100 milhões para $15 bilhões, passando, em termos de receita, do número 17 para o número 1 em seu setor. No auge desse crescimento impressionante, na economia pós-11 de Setembro, os líderes da Flextronics estavam administrando a maior empresa de produtos eletrônicos do mundo.

Depois que a indústria eletrônica estagnou devido à queda dos pontocom e dos telecom em 2001, a liderança da Flextronics passou os quatro anos seguintes concentrada em manter a posição de líder, por meio de reestruturação, fechamento de instalações e corte de despesas. Apesar da contenção dos custos, o crescimento ficou estável. Os dez anos anteriores de surpreendente expansão havia resultado principalmente no fomento de uma cultura empreendedora nas divisões regionais da América do Norte, Europa e Ásia, que funcionavam com bastante independência. Enquanto isso, o modelo do negócio estava mudando para o setor. Os clientes exigiam qualidade e entrega mais consistente, sem levar em consideração a região em que os produtos eram fabricados, e buscavam serviços em novos lugares como o Brasil, o México, a China e a Hungria.

Enquanto os concorrentes norte-americanos da Flextronics enfrentavam muitos desafios semelhantes, os taiwaneses, que tinham modelos de negócio completamente diferentes e que anteriormente não eram considerados concorrentes, estavam ganhando participação no mercado com um crescimento anual de 20 a 30%. Os concorrentes norte-americanos e europeus estavam fechando fábricas e amortizando ativos nas regiões de alto custo, enquanto que os concorrentes asiáticos, com um legado de infra-estrutura muito pequeno, de repente estavam com uma forte vantagem competitiva.

Apesar de ainda ser o *player* dominante do setor em 2006, a Flextronics percebeu que precisava um novo modelo de negócio para sobreviver – algo que atendesse melhor às novas exigências do cliente, ao mesmo tempo em que proporcionasse uma melhor estrutura global de custos. Resumindo, a equipe de liderança decidiu que a Flextronics precisava reinventar-se completamente.

Para lançar o novo desenho, foram ouvidos os 150 principais líderes da empresa a fim de identificar as maiores necessidades no apoio do crescimento e da rentabilidade. O resultado da pesquisa recomendou a criação de segmentos globais e unidades de negócio focadas no mercado e nos tipos de produto, e apoiada por um grupo de serviços globais centralizados. Assim, foram recrutados e designados novos presidentes com experiência no mercado para locais em que, anteriormente, especialistas de produção geograficamente baseados dirigiam a empresa.

Entre outras recomendações, a pesquisa identificou a ausência de uma função de RH estratégica como uma enorme barreira para o sucesso. Apesar de ser uma empresa global multibilionária, a Flextronics ainda não tinha uma função de RH centralizada e não tinha alinhado de maneira eficaz a função de RH com a estratégia do negócio. Ao mesmo tempo em que a empresa havia adquirido fábricas e equipamentos, também havia adquirido pessoas, e o talento de RH acumulado ainda estava funcionando como uma série de departamentos de RH individuais com foco na execução tática e na administração das atividades tradicionais de RH, como pessoal e folha de pagamento. Sem o necessário foco em uma capacitação de RH estratégica, inclusive um sistema de gestão de talento integrado e melhor eficácia organizacional, os líderes da Flextronics sabiam que não poderiam atingir as agressivas metas de crescimento fixadas.

Com um claro entendimento das realidades do negócio e o reconhecimento de que uma função de RH centralizada e estratégica agregaria significativo valor, a equipe executiva da Flextronics designou Paul Humphries para criar um RH global. Humphries trouxe consigo uma abrangente experiência em operações e administração na Borg Warner, AlliedSignal/Honeywell e Flextronics, bem como uma experiência de RH adquirida anteriormente em sua carreira na Borg Warner.

Fase 2: identificando importantes capacitações organizacionais

Humphries e sua equipe de transformação tinham uma oportunidade única. Diferentemente de outros esforços de transformação de RH que lutam para mudar uma organização de RH de "não estratégica" para "estratégica", Humphries teve o desafio e o prazer de criar uma nova organização de RH a partir do zero – a conhecida *tábula rasa*. Além disso, como líder de RH com experiência não tradicional, ele garantiu à nova função credibilidade instantânea junto aos executivos da empresa que, desde o início, identificaram Humphries como um colega. Como uma equipe coesa, Humphries, o CEO Mike McNamara e os outros membros da equipe de estratégia decidiram que, para competir com os novos-ricos taiwaneses e continuar a dominar o setor globalmente, a Flextronics manteria sua posição por meio de um equilíbrio de aquisições e de crescimento orgânico. Quando a equipe detalhou a nova estratégia da Flextronics, eles concordaram com as três capacitações organizacionais necessárias para apoiar o sucesso da nova administração da empresa: liderança, conectividade com o cliente e eficiência.

Liderança

Em janeiro de 2006, Mike McNamara, que respondera pelas operações de 2002 a 2005, foi nomeado CEO da Flextronics. Sua missão era planejar e dirigir a reorganização global da empresa, e fornecer uma visão clara e de longo prazo para a organização. A fim de passar rapidamente de numerosas divisões independentes para um grupo de segmentos de negócio conectados e centralizados, McNamara e sua equipe decidiram que uma liderança consistente seria um importante fator de sucesso e, baseados em um conjunto de valores sólidos da empresa, procuraram estabelecer um padrão constante de comportamentos de liderança por toda a organização.

Conectividade com os clientes

Apesar de seu crescimento estagnado de 2002 a 2005, em 2006 a Flextronics ainda tinha um desempenho melhor do que a maioria dos concorrentes, porque a empresa havia deixado de ser uma simples fabricante contratada para se transformar numa fornecedora de serviços integradas em toda a cadeia de suprimentos. A empresa cresceu na oferta de capacitações de projeto e começou a fornecer os componentes e o produto final, bem como os serviços de logística, conserto e distribuição. A Flextronics desenvolveu serviços verticais de integração, reconhecendo que os clientes podiam ter melhor atendimento caso o parceiro se responsabilizasse mais pelo processo de produção. Por exemplo, um cliente encontrou valor significativo na parceria com a Flextronics, terceirizando todo o processo de fabricação de câmeras digitais, desde a concepção até a distribuição. McNamara, Humphries e outros membros da "equipe de reprojeto" definiram que a manutenção dessa conectividade com o cliente seria essencial para a execução da nova estratégia.

Eficiência

Além da liderança e da conectividade com o cliente, para que o negócio crescesse e tivesse sucesso, era essencial encontrar sinergias, reduzir desperdícios, melhorar o compartilhamento de conhecimento nas divisões e fabricar produtos melhores, com mais rapidez e a um custo menor. Mudar de um modelo regional descentralizado para um modelo de negócio de segmentos globais exigia um intenso foco na condução de eficiências em toda a empresa e ao redor do mundo. Consequentemente, a equipe de liderança escolheu a "eficiência" como um dos três produtos-chave para assegurar uma implementação bem-sucedida da nova estratégia.

Com um claro entendimento das três capacitações organizacionais que a Flextronics necessitava para o sucesso (liderança, conectividade com o cliente e eficiência), Humphries começou a criar uma organização de RH global para apoiar estrategicamente a nova administração da Flextronics.

Fase 3: desenho do RH – desenvolvendo a organização de RH, as práticas de RH e as pessoas de RH

O desenvolvimento de uma nova organização de RH começou com um rigoroso *benchmark*. Apesar da Flextronics necessitar de programas de RH globais, consistentes e alinhados, ainda faltavam muitos deles. Os primeiros passos incluíam extensas conversas nas universidades e a participação em reuniões estratégicas de RH, nas quais Humphries encontrava muitas pessoas, inclusive Dave Ulrich, e representantes de diversas empresas que eventualmente serviam de *benchmark*. A partir daí, Humphries criou uma pequena e coesa equipe de transformação do RH, incluindo Richard Wong, vice-presidente de RH na Ásia, e Pat Hehir, vice-presidente sênior da Eficácia Organizacional.

Estratégia de RH

Depois de muita discussão, a equipe de liderança do RH decidiu que a estratégia de RH seria a seguinte: o RH da Flextronics é um parceiro de negócio estratégico, responsável por assegurar que a empresa tenha uma liderança de primeira classe, desenvolva uma sólida conectividade com o cliente e opere com uma eficiência de vanguarda. Estes resultados são obtidos quando se assegura uma sólida estrutura organizacional com um foco no "Desenho, Descobrimento e Entrega ", que permite uma poderosa concentração na gestão de talento, uma mão de obra engajada e comprometida, e uma ágil capacitação para a mudança.

A equipe de estratégia do RH reconheceu que o apoio não seria automático e que a comunicação e a adesão dos líderes, profissionais de RH e gerentes de área seriam importantes para conservar a mudança. Para facilitar essa comunicação, a equipe convidou Ulrich para participar de uma reunião com 150 líderes executivos e falar sobre o processo de transformação, o que seria necessário para sua implementação e o papel importante que uma função estratégica de RH deveria desempenhar na geração de capacitações organizacionais.

Depois, a equipe transmitiu a mensagem de visão, objetivo, cultura desejada e estratégia do RH para o próximo nível de liderança, e depois para o próximo. Quando tudo foi dito e feito, Humphries e sua equipe transmitiram pessoalmente a mensagem para mais de 50 localidades, nos quatro continentes. Milhares de gerentes de área e líderes locais de RH ouviram Humphries falar sobre o crescente papel do RH na organização e as expectativas dos funcionários de RH daí em diante.

A organização do RH

Em 2005, a função de RH da Flextronics nas Américas consistia, predominantemente, de profissionais focados em remuneração, benefícios e administração do RH. As funções no México e no Brasil eram essencialmente locais, e havia sistemas de RH específicos para o país e muito diferentes em todos os locais na Europa e Ásia. Havia uma evidente oportunidade de impulsionar globalmente melhorias consideráveis na eficácia da função de RH.

Humphries adotou um modelo organizacional de RH de "Descobrir, Desenhar e Entregar". O elemento de descoberta era composto por parceiros de negócio do RH, que serviriam como estrategistas, incorporados nas equipes de liderança, responsáveis pelos segmentos globais/unidades de negócio. O desenho incluía diversos centros de excelência em áreas como remuneração, aprendizado e desenvolvimento, e excelência de RH. Enquanto isso, quando da entrega do modelo atuariam grandes organizações operacionais do RH regionais que apoiavam as regiões comerciais da Ásia, da Europa e das Américas. Humphries escolheu este modelo por duas razões: primeiro, ele queria um modelo escalonável que permanecesse com custo reduzido quando a organização passasse por significativas curvas de crescimento e, em segundo lugar, ele queria assegurar que um elemento estratégico na função fosse criado para "descobrir" o que a função necessitaria para mantê-la relevante para a dinâmica do negócio.

Descoberta – criando parceiros de negócio do RH

A equipe de transformação do RH achou que era importante integrar novos segmentos do negócio. Considerando o modelo de negócio em modificação e as iniciativas de crescimento, a equipe decidiu que o apoio estratégico de RH deveria ser totalmente separado do apoio tático em uso. Quinn Wilson foi escolhido para assumir o papel de vice-presidente dos Parceiros de Negócio do RH a fim de criar essa capacitação estratégica de RH. Os Parceiros de Negócios do RH (*HR Business Partners – HRBPs*) foram, em grande parte, recrutados externamente e designados para cada segmento do negócio. Sua missão abrangia planejamento e projeto organizacional (incluindo desenvolvimento estratégico, definição de metas, projeto organizacional), desenvolvimento de liderança sênior e *coaching* (incluindo planejamento de sucessão, elevado potencial de desenvolvimento, *coaching* de 360 graus), e liderança da eficácia organizacional (incluindo a gestão da mudança e eficácia da equipe). Humphries também quis que eles fossem guardiões culturais e, assim, conduzissem e gerenciassem as expectativas culturais que McNamara e seus executivos haviam criado. Eles deviam desenvolver a estratégia de RH para a unidade/segmento de negócio, comunicá-la para a organização e alinhar pessoas em torno dela.

Para garantir que os HRBPs permanecessem como um recurso estratégico e para reforçar a separação entre o tático e o estratégico, a liderança de RH criou diretrizes muito específicas (regras de comprometimento e critérios não negociáveis) em torno de papéis e responsabilidades. Esses critérios não negociáveis fornecem um sistema de avaliação saudável quando líderes individuais do segmento do negócio querem criar suas próprias versões customizadas de um serviço de RH. Além disso, como essas regras de comprometimento são explicitamente conectadas com a cultura da empresa, tanto o RH quando os gerentes de área aumentaram a clareza em torno do objetivo e do valor agregado do RH.

Atualmente, vinte e um HRBPs experientes compõem esse grupo funcional, atuando como contribuintes individuais e conduzindo o foco estratégico do RH para os vários segmentos/unidades de negócio na Flextronics.

Desenho – estabelecendo centros de excelência e terceirização do RH

Humphries pôde ver que, enquanto a Flextronics se desenvolvia rapidamente, intensificavam-se as necessidades de especialização da organização em áreas como pessoal, remuneração, benefícios, aprendizado e desenvolvimento e fusões e aquisições. A função de RH da Flextronics precisava, visivelmente, desenvolver processos padronizados nessas áreas especiais. Para apoiar essas necessidades, foram criados centros de excelência com uma equipe de especialistas no assunto que podiam projetar soluções eficientes e amplamente aplicáveis para as *necessidades* identificadas pelos parceiros de negócio do RH e pelas operações de RH.

A função dos centros de excelência era projetar os principais processos e sistemas de RH para os segmentos de negócio, as operações de RH nos mercados locais e a integração cultural. Os parceiros de negócio do RH deviam fornecer informações para o projeto desses processos e sistemas, e a implementação e o suporte para os programas entregues seriam tratados principalmente pela equipe de apoio de operações do RH incorporada nos segmentos do negócio.

Foram criados diversos centros de excelência estratégicos, incluindo responsabilidade social e ambiental corporativa e conformidade, remuneração e benefícios, comunicações, excelência do RH (métricas e melhorias de processo) e aquisição de talento. Juntamente com fornecedores externos como Cornerstone e Workday, esses centros de excelência desenvolveram e introduziram sistemas de gestão de RH globais utilizando o mais recente *software* disponível para dar suporte à aquisição de talento, gestão de desempenho, *e-learning*, programa de remuneração, e gestão de dados do RH em todas as áreas geográficas.

Entrega – realinhamento das operações e administração do RH

Apesar da organização de "entrega" já estar estabelecida quando Humphries apareceu, havia uma expressiva necessidade de melhorar a liderança sênior para enfrentar o desafio apresentado pela curva de crescimento da Flextronics. Por mais de um ano, Humphries revisou a capacitação e os processos das organizações operacionais do RH regional. Tal como acontece com a organização de HRBP, Humphries procurou talentos externos para melhorar o número de funcionários prontos para preencher vagas de liderança das organizações de operações do RH em cada uma das regiões geográficas. Diversas aquisições também trouxeram consideráveis talentos para a equipe, incluindo a compra da Solectron, finalizada em 2007, que aumentou em mais de 50 mil o número de funcionários.

A operação funcional do RH idealizada por Humphries seria capaz de entregar o núcleo do programa de ofertas do RH, bem como administrar a implementação da estratégia de RH regional e local, incluindo as relações com os funcionários, as iniciativas, a conformidade e a aquisição de talentos das responsabilidades sociais e ambientais corporativas. Atualmente, cada região tem uma equipe altamente competente apoiando mais de duzentos mil funcionários em oitenta lugares no mundo todo.

Além dos profissionais de operação do RH, os serviços e estratégias de RH eficientes também necessitam de uma administração econômica. A Flextronics utiliza diversos sistemas especializados para administrar dados de desempenho, processos de recrutamento, inscrições para benefícios, gestão de aprendizado e processos focais. Recentemente, a empresa começou um projeto plurianual para melhorar ainda mais sua capacitação administrativa. Uma estratégia de serviços compartilhados está instalada e será lançada com a criação de um centro em Chennai, na Índia, apoiando funcionários dos Estados Unidos e do Canadá. Do mesmo modo, um piloto de serviços compartilhados está em desenvolvimento na China. Finalmente, a Flextronics planeja ter diversos centros regionais, funcionando como apoio de sua força de trabalho em trinta países.

Além disso, a empresa está nas primeiras fases de implementação de um sistema de informação de recursos humanos global, que permitirá o autosserviço do funcionário, o autosserviço do gerente e informações e acesso a dados totalmente globais. Isso não só aumentará a eficiência administrativa como proporcionará maior apoio de capacitações do RH e gestão de tomada de decisões.

Comprometimento com o desenvolvimento do RH

Como mencionado anteriormente, o novo negócio e o novo modelo de RH da Flextronics exigia um novo tipo de profissional de RH. A liderança de RH alavancou dados da Universidade de Michigan e do RBL HR Competency Study para avaliar as competências de que os "novos profissionais de RH" necessitavam e para entender como julgar os atuais funcionários em relação a essas competências. Para fornecer exemplos de comportamentos de como os profissionais de RH deveriam aplicar cada competência e também demonstrar como elas seriam avaliadas nos diferentes estágios da carreira e em diferentes funções, foram feitos um currículo de treinamento de aceleração de carreira e um guia de competências. O modelo de competência de RH está sendo distribuído como parte da iniciativa de reforço da capacitação de RH da Flextronics e será usado para seleção, avaliação e desenvolvimento desde o topo até a baixo. Resumindo, quando novos líderes de fora da empresa são admitidos para impulsionar a função de RH, há uma grande pressão para desenvolver novos líderes internamente, com postos de trabalho, papéis bem definidos e oportunidades de desenvolvimento estratégicas alinhadas com competências produzidas pelos dados.

Fase 4: responsabilidade e mudanças sustentadas

Talvez um dos elementos mais importantes do sucesso da transformação de RH da Flextronics tenha sido o apoio do CEO Mike McNamara. Além disso, o apoio e a visão da equipe sênior de RH foi fundamental para obter o progresso até agora. Dado que essa transformação foi feita a partir do zero, a equipe de RH também dá crédito aos consultores e *líderes do pensamento* que asseguraram que as teorias e práticas que estavam sendo empregadas no novo projeto de RH eram as mais modernas. Finalmente, havia uma responsabilidade suficientemente equilibrada entre os gerentes de área, profissionais de RH e consultores externos.

A Flextronics também tem trabalhado para conectar seu pessoal e suas práticas de RH a clientes e investidores, com o objetivo de assegurar que o projeto seja baseado em suas três capacitações organizacionais: liderança, conectividade com o cliente e eficiência. Os programas são centrados na construção de líderes. As iniciativas são implementadas tendo as necessidades dos clientes como prioridade. Os sistemas e as organizações são construídos a fim de gerar maior eficiência.

Próximos passos

Após três anos de muito trabalho, a Flextronic criou uma organização de RH estratégica e global de muito sucesso e continua a ajustar o projeto para atender as necessidades de um mercado em constante evolução. A filosofia da Flextronics é de que o trabalho de transformação do RH nunca termina, pois quando a empresa muda para responder a novos desafios comerciais, o RH precisa mudar. Portanto, apesar de muito trabalho já ter sido realizado, ainda há muito a fazer. Enquanto isso, o progresso e o sucesso do projeto de transformação do RH na Flextronics são vistos como uma conquista significativa. Próximos passos: execução, execução, execução.

PFIZER: UMA JORNADA EM BUSCA DO MENOR, MELHOR E MAIS RÁPIDO

Chris Altizer e Michele Bolden

O RH da Pfizer está trabalhando para se transformar. Nesta jornada, a Pfizer está mais atrasada do que algumas empresas e mais avançada do que outras. Ela passou por uma significativa mudança nos últimos anos, e a história completa é muito longa para ser contada. Ainda estamos escrevendo a história sobre as implicações dessas mudanças para a nossa função de RH e a transformação de funcionários tradicionais focados no trabalho para se tornar um grupo de líderes de negócio com experiência de RH e um fornecedor lean de serviços de qualidade. Ao compartilhar nossa história com outras pessoas do grupo RBL, vemos que aprendemos algumas lições que podem ser valiosas para quem está só começando ou não está satisfeito com o que está fazendo. Nossa história não termina aqui, e temos muito mais a fazer – mas já fizemos um grande progresso.

Fase 1: contexto do negócio

A Pfizer é a maior indústria farmacêutica do mundo, mas nem sempre foi assim. Nos anos 90, a empresa cresceu rapidamente por meio da venda de seus próprios produtos e também por aquisições, entre as quais as da Warner-Lambert em 2000 e a Pharmacia em 2003. A força de trabalho aumentou de uma base de cerca de 40.000 para 80.000 em 2000 e para 120.000 em 2003. Hoje ela é de 82.000. Por tudo isso, a função de RH cumpriu as necessidades básicas do negócio, mas essas necessidades básicas aumentaram e a capacidade do RH de contribuir e dirigir a estratégia do negócio – trabalho de RH de alto impacto – deve ser valorizada.

A Pfizer é uma empresa empreendedora e inovadora com uma cultura invejável. Embora isso seja bom para o desenvolvimento de novos produtos e o *marketing*, é um desafio quando se trata de alcançar um equilíbrio na padronização e na eficiência nas funções de apoio. Depois da aquisição da Pharmacia, o RH funcionou no que se poderia gentilmente chamar de caos operacional. Tínhamos três empresas de grande legado e uma série de diferentes práticas e sistemas de RH dentro das divisões dessas empresas. Tínhamos diferentes práticas de folha de pagamento, diferentes planos de pensão e benefícios, diferentes práticas de desempenho e talento, e diferentes pontos de vista sobre o papel fundamental da função – tudo isso em grande escala.

O resultado dessas diferenças era uma função de RH excessivamente grande e incapaz de entregar serviços de qualidade a um custo competitivo. Além de sua infraestrutura inchada, a função de RH tinha poucas perspectivas novas e ideias inovadoras de outros ambientes, o que era resultado da tradição da empresa de promover os talentos de RH internamente e de importar talento por meio de aquisição em vez de uma contratação objetiva. E o mais importante, a função não tinha um histórico dos resultados da condução de negócios.

A história que contamos aqui é de como estamos tratando desses assuntos, ao mesmo tempo em que apoiamos um negócio que está sendo transformado por um mercado em evolução, pela perda iminente de proteção de patentes dos produtos – incluindo o medicamento mais vendido sob prescrição médica (Lipitor) – e por um ambiente externo desafiador.

Antes de compartilhar os detalhes, vale a pena observar que os esforços para tratar desses assuntos já haviam começado, mas eram interrompidos de tempos e tempos. Desde 2000, a Pfizer teve quatro chefes de RH, assim como um novo CEO e grandes alterações na alta gerência. Apesar de muitos planos e algum progresso significativo em algumas áreas, a chamada à ação foi reduzida pelas alterações na liderança e pela resistência cultural à aceitação de uma plataforma instigante. As realidades empresariais de adaptação a uma escala menor e a nossa própria ineficiência finalmente aconteceram em 2007.

Capítulo 10 – Pfizer: Uma Jornada em busca do Menor, Melhor e Mais Rápido

Business case para a transformação: o tamanho do prêmio

Para cumprir seus compromissos, o RH da Pfizer teve de se converter de uma função inchada com foco interno para uma função eficiente com foco no negócio e na indústria. A Tabela 10.1 mostra como o desempenho avançou em comparação com os dados de *benchmark* do ponto de vista de um acionista e da administração.

Analisamos nossa alocação do tempo atual e descobrimos que mais de 75% das interações do RH eram feitas com outros colegas do RH, em lugar de trabalho para fazer o negócio progredir. Historicamente, não havíamos tido uma estratégia bem definida ou um modelo operacional no qual pudéssemos confiar e que estivessem alinhados com a estratégia do negócio. Na melhor das hipóteses, nossa reputação interna estava confusa. "Adoro meu funcionário do RH, mas odeio o RH" era uma frase comum. E, quando examinávamos com seriedade, reconhecíamos que nossa função não estava organizada para ser rápida, eficiente ou eficaz.

No início de 2007, Mary McLeod foi contratada pela Pfizer como chefe do RH. Ao longo do ano de 2007, a equipe de liderança do RH definiu nossas aspirações funcionais e o plano para atingi-las. Trabalhando como uma equipe de liderança talvez pela primeira vez em nossa história, decidimos nos tornar uma função de RH de primeira classe. Isso é fácil de dizer – acreditamos que todos os leitores deste livro digam a mesma coisa – mas aqui está o que isso significa para nós:

Tabela 10.1 *Desempenho do RH da Pfizer*

MÉTRICA	MELHOR	MÉDIA	PIOR	PFIZER
Índice do número de funcionários do RH	1:118	1:93	1:67	1:51
Gastos do RH por colega	$1.058	$1.611	$2.466	$4.616
Percentagem das receitas do RH	0,31	0,51	0,72	0,82

Parte II – Histórias das Trincheiras: Estudos de Casos de Transformação

- Responsabilizar os líderes de negócio do RH pelo trabalho que ajuda a construir a vantagem competitiva da Pfizer, focando na concepção das organizações, no desenvolvimento da cultura, das lideranças e de outros talentos e liderando a mudança.
- Assegurar que o RH tenha talento para conceber e executar a estratégia de negócio da Pfizer, apoiar os processos e programas relacionados às pessoas, e estruturar a função para focar no trabalho que melhora a vantagem competitiva.
- Redefinir o atual relacionamento entre o RH, os líderes da Pfizer e os colegas. Isso significa desenvolver novas maneiras de trabalhar ajudando os gerentes de área a aproveitar o seu tempo ao máximo e proporcionar acesso imediato à informação por meio de ferramentas da *web* para que as decisões de negócio possam ser rápidas e as medidas para implementar essas decisões possam ser tomadas de imediato.
- Transferir os trabalhos rotineiros tanto quanto possível para uma função centralizada, padronizável para toda a empresa para obter melhor qualidade, acesso mais fácil, mais rapidez e menor custo: *a entrega do serviço de RH feito de uma mesma maneira, em um lugar, por um grupo.*
- Ser reconhecido pelo alto desempenho que conduz a resultados desejados em vez de ser, por vezes, um obstáculo.

A ambição era nobre. O desafio era cumpri-la de forma eficaz e num ritmo que atendesse a necessidade da empresa.

O plano

Gostaríamos de alcançar nossos objetivos com a menor ajuda possível de consultores. Achávamos que tínhamos o talento e a motivação, mas necessitávamos de alguma ajuda para a cirurgia necessária, pois nunca havíamos feito isso antes. Contratamos Mark Nyman, do RBL, para ajudar-nos e para manter-nos honestos com nós mesmos desde o início. Estabelecemos três princípios fundamentais para orientar o trabalho. O primeiro era aceitar a realidade de que não poderíamos ser o n° 1 em tudo. Tínhamos de avançar como indústria farmacêutica e fazer o máximo naquilo que nos levaria a atender as cinco prioridades da Pfizer: alcançar

Capítulo 10 – Pfizer: Uma Jornada em busca do Menor, Melhor e Mais Rápido

o máximo das receitas, reduzir custos, fortalecer nossa cultura, atender nossos compromissos com os *stakeholders* e comprometer nossos colegas. O segundo princípio era envolvimento. A força intelectual coletiva de nossos colegas do RH era muito maior do que a de dez membros da equipe de liderança do RH. Decidimos envolver neste trabalho o maior número de colegas possível, não apenas para obter o benefício de seu conhecimento, mas também para criar um senso de propriedade sobre o resultado. Um terceiro princípio era a aplicação das práticas e ferramentas de melhoria contínua para garantir que nossas mudanças não eram correções únicas que não seriam suficientes ao longo do horizonte de planejamento de três anos. A Figura 10.1 demonstra a linha de tempo que desenvolvemos para esse trabalho.

HORIZONTE 1
2007

- Designação do novo vice-presidente de RH
- A equipe de liderança do RH começa a se desenvolver
- Começa o redesenho do RH; o projeto tem início
- Definidas as equipes de redesenho do RH

HORIZONTE 2
2008

- A equipe de liderança do RH (HRLT) continua a se desenvolver com o fortalecimento do talento de liderança por meio de novos líderes e novas funções.
- O redesenho do RH se concentra na definição de um modelo operacional para que o empreendimento, as divisões e o apoio administrativo e operacional possam trabalhar mais suavemente.
- Finalizadas as novas organizações e prioridades para diversidade e inclusão, talento e capacidade organizacional e recompensas totais.
- Anunciado o nível da equipe de liderança (HRLT-1), incluindo as orientações de RH e do apoio administrativo e operacional.

HORIZONTE 3
2009 em diante

- O redesenho do RH está totalmente implementado e são realizadas avaliações.
- Alcançado o melhor desempenho com implementação eficaz de programas gerais.
- Criados canais de talento mais fortes com a implementação de uma estratégia integrada de talento.

O RH será desenhado de forma eficiente e eficaz e terá o talento para ajudar a liderar o crescimento do negócio.

Figura 10.1 *A transformação do RH da Pfizer.*

Começamos nossa abordagem identificando as fases do trabalho, começando com as necessidades da empresa. Ainda não finalizamos as quatro fases, mas é bom dar detalhes da sua atual visão:

- *Fase 1*: *O Contexto do Negócio* foi fundamental para entender e ajudar-nos a preparar nosso *business case* a fim de começar a transformação do RH. Depois de explicado claramente o tamanho do prêmio, pudemos seguir adiante de um modo muito mais convincente.
- *Fase 2: O Resultado do Negócio* se concentra no entendimento das unidades de negócio e das necessidades atuais e futuras da empresa, avaliando os estímulos estratégicos para cada negócio e as necessidades culturais atuais e futuras. O resultado é um entendimento e uma lista consentida do trabalho do RH e das implicações, considerando as necessidades do negócio e oportunidades de alavancagem.
- *Fase 3a:* A *Classificação do Trabalho* (Redesenho do RH I) se concentra na identificação dos resultados, produtos ou serviços entregues pelo RH e na determinação do tipo de trabalho: estratégico ou transacional. O resultado esperado nesta fase é uma abrangente lista de cada produto e serviço fornecido pelo RH e uma decisão de quais produtos e serviços deveriam ser acrescentados, reduzidos ou eliminados.
- *Fase 3b*: *Organizar o Trabalho* (Redesenho do RH II) significa determinar onde é realizado o melhor trabalho de RH, isso leva a um resultado de saber não apenas como o trabalho deveria ser organizado, mas a quem pertence o trabalho e onde ele deveria ser feito.
- *Fase 3c*: A *Equação do Talento* (Redesenho do RH III) se concentra em garantir que as pessoas certas estejam nas posições certas, compreendendo as competências mais importantes para uma prestação de serviços de RH bem-sucedida, e avaliar o talento do RH para identificar áreas que precisam ser melhoradas.
- *Fase 4*: A *Implementação* envolve a determinação da velocidade da entrega, as principais atividades, a gestão do *stakeholder* e a criação de uma gestão de mudança e plano de projeto. O resultado esperado é uma organização de RH engajada, cujos membros sabem de sua responsabilidade e como agregar valor.

Fase 2: resultados do negócio

A equipe de liderança do RH pediu que os diretores falassem sobre o estado atual e futuro do negócio. Pedimos a eles que *não* falassem sobre o RH ou sobre o que precisavam dele. Era nossa tarefa entender completamente as necessidades do negócio e deveríamos criar as soluções do RH que levariam a esse sucesso. Era importante que olhássemos não apenas para nossa empresa, mas também para as tendências e os desafios que toda nossa indústria enfrentaria caso fossemos bem-sucedidos. Era altamente sedutor e, às vezes, difícil que os líderes evitassem falar sobre o RH, mas trabalhamos juntos para indicar claramente o contexto do negócio que precisávamos começar.

Com essas discussões, definimos que o novo trabalho de produto se movesse além da liderança, do talento e da cultura. É uma questão de decidir que tipo de trabalho é necessário para ajudar a liderar a estratégia de negócio, organizar as melhores entregas e conectar os resultados das unidades de negócio por toda a empresa para alcançar os resultados. Começamos colocando o RH não como um possibilitador do sucesso do negócio, mas como seu condutor. Enquanto isso avançava, começamos a identificar as competências de RH necessárias para tanto. O mais recente estudo de competências conduzido pelo The RBL Group e pela Ross School of Business, da Universidade de Michigan, contribuiu para nosso raciocínio e, consequentemente, para o novo modelo de competência do RH – que estamos agora aplicado.

Fase 3a: classificação do trabalho (redesenho do RH I)

Completadas as duas primeiras fases, demos início à terceira, a classificação do trabalho. Ao falar com outras empresas, percebemos que esta fase era quase sempre ludibriada – algumas vezes com resultados desastrosos! Algumas empresas muito respeitadas faziam suposições sobre o trabalho da função, em vez de realizar uma análise detalhada dela. Uma empresa que avaliamos e comparamos tinha decidido terceirizar o trabalho "transacional do RH" para um famoso fornecedor, melhorar seu talento de RH e reduzir a função para prestar serviços com mais eficiência – tudo ao mesmo tempo. Como o trabalho não havia sido definido com antecedência, verificou-se que o contratante estava fazendo apenas uma parte do trabalho transacional e que os novos parceiros de negócio de RH, altamente qualificados, ainda estavam presos a tarefas "escondidas" que tinham passado despercebidas. Os talentos do RH estavam frustrados por trabalhar abaixo de seu nível de habilidade, os líderes de área não estavam contentes e o trabalho de ponta do RH não estava sendo feito. Para nós, esse foi um aviso.

Criamos diversas equipes interdivisionárias para conduzir uma análise detalhada e para tornar conhecidas as diversas diferenças que havia nas divisões e nos locais. As áreas de foco iniciais para nós eram: generalista, pessoal, aprendizado e desenvolvimento, eficácia organizacional, remuneração, benefícios, operações, comunicações, e diversidade e inclusão. O foco inicial estava em nossas operações nos Estados Unidos, englobando cerca de 45.000 colegas distribuídos em diversos locais e funções. Esse trabalho não era particularmente estimulante, mas as pessoas envolvidas logo perceberam o que estava em jogo. Isso resultava em páginas e páginas de planilhas mostrando que trabalho havia sido feito e por quem. Porém, um aspecto-chave da classificação do trabalho era a determinação de cada uma das tarefas como "uma vantagem competitiva", "estratégica" ou "de base".

Resumindo, o trabalho de "vantagem competitiva" é o trabalho do seu negócio. Para a Pfizer, a pesquisa de medicamentos, o desenvolvimento, o *marketing* e a produção são trabalhos de vantagem competitiva. Apesar da dificuldade em aceitar inicialmente, logo percebemos que nada no nosso atual trabalho de RH era um trabalho de vantagem competitiva – isso seria para Hewitt ou RBL ou outros grupos de consultoria. Nosso trabalho era estratégico ou funcional.

Entretanto, até mesmo essa diferença provou ser um desafio. Ninguém do RH, ou de qualquer outro lugar, gosta de pensar que seu trabalho não é "estratégico" – mas, na realidade, a maior parte de nosso trabalho de RH não era. Ele não pode ser estratégico quando 75% do tempo de uma pessoa do RH é gasto para conversar com outras pessoas do RH. O trabalho estratégico é o trabalho que permite a vantagem competitiva. O trabalho de base, quando não é bem feito, torna impossível o trabalho de vantagem competitiva. Contribuir com o plano de negócio de expansão da Ásia é um trabalho estratégico, garantir que as pessoas recebam seus pagamentos corretamente é um trabalho de base. Também identificamos outra nuance – o trabalho de base exigido por lei. Se o pagamento correto das pessoas é um trabalho de base, o pagamento correto e a garantia de que não haja disparidades ou discriminação é um trabalho de base exigido por lei.

Aproveitamos a oportunidade para ajudar os colegas a entender que há um aspecto estratégico e de base para quase tudo que fazemos. O trabalho estratégico não é reservado aos líderes de alto escalão ou aos agentes de mudança, nem o trabalho de base é um trabalho sem valor agregado. Tivemos que ajudar os colegas a pensar dessa maneira sobre o trabalho de RH. Apesar de parecerem diferenças mínimas, elas se tornaram relevantes quando começamos a nos organizar em torno do trabalho. Foram necessárias várias semanas e, algumas vezes, era muito confuso, mas estava claro para nós que a classificação correta do trabalho era fundamental para a organização do mesmo. Depois de classificarmos o trabalho, começamos a definir onde ele seria feito, isto é, a organizá-lo.

Fase 3b: organize o trabalho (redesenho do RH II)

Ao mesmo tempo em que a Pfizer é essencialmente uma indústria farmacêutica com produtos de origem humana e animal, nossas funções – comercial, P&D, produção, médica e grupos empresariais – são suficientemente grandes e diversificadas para que as consideremos unidades de negócio (UNs). Historicamente, a maior parte do trabalho de base do RH era feito dentro dos grupos de UNs do RH e somente em 2003 foi estabelecido um centro de serviço nos Estados Unidos. As funções de RH corporativas eram responsáveis pelos processos como desenvolvimento de talentos no nível sênior, gestão de desempenho, diversidade e inclusão e remuneração, mas cada grupo de RH das UNs tinham grupos semelhantes que usavam, modificavam e, algumas vezes, ignoravam a determinação corporativa. Após a classificação dos trabalhos (na Fase 2), as ocorrências de nossas dispensas de pessoal se tornaram absolutamente aparentes e as oportunidades para a eficiência e a eficácia se tornaram claras.

Para assegurar a concentração no negócio e evitar os calafrios das dispensas, sabíamos que tínhamos que ter uma estrutura que tornassem claras as funções. O projeto final era incluir três tipos principais de entidades: empreendimento, unidade de negócio e apoio administrativo e operacional.

Empreendimento (centros de *expertise*)

O princípio básico é manter os centros de *expertise* enxutos e focados em um trabalho que influencie toda a empresa.

- O grupo de remuneração e benefícios desenvolve a filosofia corporativa, projeta programas e determina a prestação de serviços para os UNs.
- O chefe de diversidade e inclusão (DI) é responsável pelo projeto estratégico e pela definição dos objetivos e pelo estabelecimento de prioridades para os colegas de DI nas divisões.
- O planejamento de RH é responsável pelo planejamento estratégico para a função, inclusive o orçamento e o plano operacional.
- Talento e capacitação organizacional é o centro de excelência em gestão de talentos e desenvolvimento organizacional atuando com o chefe de divisão de RH e os líderes de RH.
- A política de capital humano é responsável por fazer com que a Pfizer, como uma entidade empregadora, trate dos assuntos de assistência médica e políticas públicas.

Unidade de negócios (RH incorporado)

O princípio básico, no nível das UNs, é fazer uma estreita ligação do trabalho do RH com o da UN.

- A UN do RH concentra seu trabalho na eficiência organizacional e na liderança, incluindo o desenho organizacional, planejamento e desenvolvimento de talento, melhoria contínua, gestão de mudança, planejamento da força de trabalho, comprometimento e orientação na UN.
- A liderança de RH (parceiro de negócio) é responsável pelo trabalho com um líder de negócio para entregar a estratégia de negócio, o projeto e desenvolvimento organizacional, a gestão de mudança, o planejamento da força de trabalho, a melhoria contínua e o plano de talento para a UN.

- Análises e relatórios da unidade de negócios fornecem dados e informações de RH de pontos de necessidade para orientar as decisões empresariais.
- A DI da UN executa a diversidade do empreendimento e a estratégia de inclusão e prioridades nos níveis da divisão e do país.
- A capacitação organizacional e o talento da UN executa o treinamento, o desenvolvimento e a eficiência organizacional, a aquisição de talentos, as ferramentas de desenvolvimento de talento e liderança, os processos e os sistemas na divisão.

  O trabalho de aprendizado e desenvolvimento tem três grandes categorias: treinamento técnico, treinamento do desenvolvimento de gestão e desenvolvimento de habilidades gerais. O aprendizado e desenvolvimento da UN sana as necessidades de treinamento e educacional que são exclusivas das posições na divisão.
- A eficiência organizacional da UN irá conduzir a estratégia de aquisição de talentos ao nível de divisão.

Apoio administrativo e operacional (execução operacional)

Aqui o princípio básico é transferir a maior parte do trabalho de base para o apoio administrativo e operacional.

- O trabalho está localizado próximo da empresa e apoia, de maneira eficiente, o crescimento organizacional e dos colegas.
- Distribua o apoio administrativo e operacional da melhor maneira possível: país (mínimo), ou área e região (preferencial).
- As lideranças do apoio administrativo e operacional dispostos nos locais e as funções das operações tradicionais situadas em um lugar central para o compartilhamento dos serviços farão parte dessa organização.
- O trabalho do apoio administrativo e operacional inclui a orientação de desempenho e planos de melhoria, investigação de conformidade, gestão de compensação de final de ano, *on-boarding e off-boarding*, treinamento de conformidade da força de trabalho, desenvolvimento do plano de ação positivo, implantação dos novos processos de RH e orientação dos gerentes. Os colegas que vão realizar esse trabalho estarão localizados próximos à empresa e se reportarão a operações.

- O apoio administrativo e operacional continuará administrando estes trabalhos:

   Operações do centro de serviço
   Administração da folha de pagamento e benefícios
   Administração do programa e de políticas do RH
   Estratégia da tecnologia e gestão de dados do RH
   Gestão de postos de trabalho (apoio ao líder)
   Prestação de contas e análise matemática da força de trabalho do empreendimento

O trabalho do empreendimento e do apoio administrativo e operacional é feito em toda a empresa e sua execução não exige um conhecimento específico da unidade de negócios. O trabalho da unidade de negócios necessita de conhecimento específico sobre a UN e é feito para uma determinada unidade de negócios em todos os locais.

Abandone o generalista

O papel de generalista de RH como existe hoje não vai perdurar. A liderança de RH terá a responsabilidade pelo desenho e desenvolvimento organizacional, pela gestão de mudança, pelo planejamento da força de trabalho, pela melhoria contínua e pelo plano de talentos da unidade de negócio. O trabalho de relações com o funcionário é de responsabilidade do gerente e da equipe de apoio operacional incorporado ao negócio. Os especialistas nas divisões trabalharão muito próximos dos grupos corporativos. É de responsabilidade dos grupos corporativos conceber os programas globais, e é de responsabilidade dos especialistas implementar esses programas nas divisões, juntamente com a liderança do RH.

Fase 3c: a equação de talentos (redesenho do RH III)

Logo após seu início como chefe do RH, Mary McLeod passou a atualizar os talentos da função e a identificar novo trabalho de valor agregado para isso. Além de introduzir um novo vice-presidente de vendas para chefiar a função de RH do grupo corporativo, ela trouxe grandes talentos para liderar as organizações de remuneração e talento, e novos líderes para os grupos comerciais e de P&D do RH. Estabeleceu um papel de liderança mais forte por meio da função global e criou a função política de capital humano a fim de ampliar externamente a influência do RH da Pfizer. Quando o redenho se movimenta para a fase 4 – execução – surge a tarefa de selecionar e distribuir os melhores talentos internos e de trazer novas perspectivas para uma organização que não era conhecida por deslocar talentos de RH. O objetivo principal tem sido, e continua a ser, o de colocar nossos talentos internos mais importantes em funções-chave para que tenhamos uma excelente mistura de líderes atuais e novos para atuar nas novas funções de liderança de RH e do apoio administrativo e operacional.

Utilizando vários estudos de competência, inclusive o trabalho de competência de RH do RBL, foram criados perfis de funções para as posições de liderança de RH e de apoio administrativo e operacional para cada uma das divisões. Em uma sessão inédita (para a Pfizer), a equipe de liderança do RH avaliou o banco de talentos de alto escalão em toda a organização e selecionou líderes para as posições-chave. Diferente de outras empresas de referência, não tínhamos sido eficientes a ponto de deslocar talentos pela organização para o desenvolvimento, ou de combinar competências individuais às necessidades da empresa nessa dimensão. Consideramos diversos fatores, inclusive a continuidade da empresa e do líder, forças individuais e necessidades de desenvolvimento e a intenção declarada de deixar diversas posições-chave em aberto para o recrutamento de talentos externos. Temos generalistas se transferindo para funções de apoio administrativo e operacional e especialistas se transferindo para papéis de liderança do RH. Esses trabalhos estão em andamento e há uma mudança significativa no talento em toda a empresa.

Fase 4: implementação

Em meados de 2008, começamos a fazer o redesenho. Ele levará a uma redução significativa no número de funcionários do RH, eliminaremos aproximadamente $ 42 milhões em despesas devido a essas reduções e, por causa do desenho atualizado e de uma gestão funcional, ao mesmo tempo, melhoraremos significativamente a base de talento.

A classificação e a sistematização do nosso trabalho foca em apenas um dos caminhos de nossa jornada. Ao mesmo tempo em que estamos redesenhando a função de RH, também estamos implementando um processo saudável de priorizar nosso trabalho para que nosso espírito empreendedor e inovador fique concentrado na pequena relação de resultados que irá conduzir às cinco prioridades descritas anteriormente – as coisas que devemos fazer, em vez das coisas que podemos fazer ou que achamos conveniente fazer. Pretendemos continuar a aumentar a visão de negócio de nossa equipe de RH e continuar a transferir e importar talentos de RH para concretizar nosso propósito de um serviço de classe mundial. Todas essas etapas nos levam adiante em nossa jornada.

Próximas etapas

Nunca chegaremos a um letreiro que diga "Isto é o sucesso". Em vez disso, o sucesso irá aparecer de diversas maneiras, incluindo nossa habilidade de gerir programas de forma global, de maneira eficiente e consistente, a facilidade de prestação de serviço em nosso programa, e a nossa eficácia no trabalho com líderes de negócios para aumentar a vantagem competitiva. Há diversos indicadores para escolher, e temos as medidas de processo e de resultados. Também haverá diversos outros indicadores, incluindo capacidade de RH de conduzir estratégia, mudança, talento e cultura do negócio. O trabalho focado nos colegas será tratado de uma maneira, em um local e por um grupo, e ele nos ajudará com a eficiência e a redução de custos de fazer negócios no RH. Os resultados dos grupos de empreendimentos incluirão a possibilidade de transmitir para toda a empresa as decisões de pessoas importantes. Além disso, esses grupos irão acrescentar valor para uma operação de RH de classe mundial a uma organização que merece e precisa disso. O indicador mais forte de nosso sucesso será o nível de nosso envolvimento em todas as decisões sobre o presente e o futuro da Pfizer. Esse pode ser nosso próximo capítulo. Por enquanto, isto resume nossa experiência:

Primeiras lições

Uma pergunta que nos fazemos neste ponto de nossa jornada é sobre as principais lições aprendidas. Definidas em detalhes, elas teriam seu próprio capítulo, ou até seu próprio livro, mas aqui estão alguns exemplos:

- *Entenda o trabalho*. Não assuma que você sabe o que é feito, quem faz e o que é preciso para que seja feito. A coleta de dados é difícil, mas sua execução seria impossível sem ela.
- *Envolva as pessoas certas*. Não delegue a tarefa de transformar a função – mas inclua as pessoas que a levarão adiante.
- *Uma vez começado, vá até o fim*. Levamos um ano para fazer o que poderia ter sido feito na metade to tempo. Tenha cuidado para não ficar demasiadamente ocupado que não possa se dedicar, e não deixe o urgente passar à frente do importante.
- *O talento é importante*. Embora os recentes trabalhos do RBL nos digam que talentos medíocres bem organizados superam os grandes talentos desorganizados, nenhum dos dois é aceitável. Coloque as melhores pessoas no trabalho e busque os melhores talentos que possa encontrar.
- *Cuide do presente, foque o futuro*. Projete estruturas, defina funções e selecione talentos para o estado futuro; faça concessões para as necessidades atuais somente quando elas não atrapalham (de verdade) o negócio – o que nos leva ao ponto final...
- *Isto não é fácil, nem infalível*. Ninguém vai conseguir tudo o que quer, e a transição será complicada. Defina as expectativas para seus líderes de negócio, mas não peça permissão ou pense que eles irão conduzi-las ou "patrociná-las". Eles têm um negócio a administrar, e você também.

INTEL: BALANÇANDO O PÊNDULO DO TÁTICO PARA O ESTRATÉGICO

Richard Taylor e Patty Murray

A Intel Corporation é a maior fábrica mundial de semicondutores e a inventora dos microprocessadores que estão na maioria dos computadores pessoais. Ela foi fundada em 1968 pelos pioneiros em semicondutores Robert Noyce, membro do Hall da Fama dos Inventores desde 1983, e Gordon Moore, muito conhecido pela "Lei de Moore" (que determina que o número de transistores incorporados em um *chip* irá praticamente duplicar a cada 24 meses). A Intel também fabrica placas de circuitos integrados, placas de rede, circuitos integrados, memórias *flash,* processadores e outros dispositivos relacionados com comunicação e computação. O terceiro funcionário contratado pela Intel foi Andrew Grove, que dirigiu a empresa nos anos de 80 e 90, combinando um avançado projeto de *chips* com uma produção de vanguarda. Nos anos 2000, a Intel continuou a crescer e recentemente acrescentou a seu legado inovador a construção de um RH estratégico, capaz de alavancar os melhores talentos para entregar a tecnologia mais inovadora.

Fase 1: história e contexto do negócio

Em 1999, enquanto aguardava um voo de trabalho, um dos executivos financeiros da Intel encontrou um colega. Durante a conversa, o executivo perguntou para onde ele ia. A resposta deixou o executivo embasbacado. Esta foi a tímida resposta: "Bem, vou entregar pessoalmente uma caixa cheia de cheques de pagamentos porque nossos sistemas emperraram e não conseguimos fazer os cheques serem descontados!"

Embora a entrega pessoal dos cheques pudesse ser a norma para uma empresa tradicional, isso era inaceitável no maior fabricante de semicondutores do mundo. Rapidamente a história chegou aos ouvidos dos outros altos executivos e o RH recebeu a ordem para equilibrar o navio.

Em defesa do RH, em função de muitas aquisições, a Intel estava passando por significativo crescimento e expansão. As necessidades comerciais se desenvolviam rapidamente e as altas expectativas dos funcionários estavam sempre aumentando. Além disso, também as capacitações tecnológicas aumentavam rapidamente: o escritório sem papel, as trocas B2B e o *e-commerce* estavam decolando, e as capacitações operacionais da Intel não estavam mantendo o ritmo com a tecnologia ou com as necessidades. A maioria das organizações de RH tem o prazer de se desenvolver em um ritmo menor, mas na Intel a Lei de Moore estava transbordando do P&D para todas as funções: *tudo* estava sendo duplicado, não apenas os transistores nos *chips*. Com todas as mudanças, os líderes de RH tiveram a dolorosa percepção de que os serviços básicos do RH e a operação de benefícios estavam remando contra o ritmo do descomunal crescimento da empresa e estavam deixando de atender as expectativas dos clientes.

Apesar das preocupações e da necessidade de melhorar, enquanto o mundo deslizava suavemente para o novo século, a equipe de RH da Intel achou que tinha o controle da situação. A calmaria antes da tempestade veio em julho de 2000, quando as ações da Intel alcançaram o valor unitário de $64 e foram divididas em 2:1. Três meses mais tarde, o preço global da ação havia caído em cerca de 30%, assim como no resto do setor, e a Intel começou a sentir a pressão da falência de empresas pontocom. Começamos a examinar todos os aspectos da prestação de serviços de RH e encontramos diversas áreas que necessitavam de melhorias. Nossos planos de remuneração e benefícios eram complexos e difíceis de administrar. Nossas soluções de serviços eram fragmentadas e manuais. Nossos sistemas eram altamente personalizados e não eram bem integrados, e nosso foco se resumia em completar as transações. Descobrimos que estávamos prestando serviços de baixa qualidade (~1000K DPM, isto é, 100.000 defeitos a cada milhão de oportunidades), a um custo alto (quarto quartil *versus* o gasto de RH médio do setor industrial), e com baixa satisfação entre nossos clientes internos (65 a 85%). Afora isso, a organização mais ampla de RH era dividida em grandes silos; a cultura organizacional do RH era reativa e faltavam fundamentos de administração de dados, gerenciamento de projetos e gestão de recursos do fornecedor; e tínhamos lacunas em nossas capacitações de gestão e nas habilidades comerciais e técnicas.

Descobrimos que nossa reação inicial (de 1999 a 2001) à determinação de Andy Grove (na época presidente do conselho) e Craig Barrett (o CEO) para melhorar o RH resultou em muita rotação com relativamente pouca tração. Estávamos investindo pesado nos serviços do RH e nossas despesas haviam crescido numa média de 41% por ano. Mas, estávamos progredindo pouco, todos os nossos investimentos eram reações pontuais a problemas específicos, e poucos ou quase nenhum deles tratavam das causas principais ou incorporava uma estratégia global.

Considerando as pressões de custos dos ambientes externos e os dados e cultura tecnológica da Intel, Groove e Barrett concordaram com nosso plano de focar primeiramente o básico. De 2001 a 2006, nos concentramos em determinar a base do serviço de entrega. Nesse período de cinco anos, com muito cuidado e intencionalmente, fizemos progressos consideráveis. Começamos criando uma única organização de serviços de RH com uma estratégia global abrangente, visando as competências adequadas. Depois, modelamos sistematicamente todas as funções individuais, padronizando e reprogramando nossos processos principais. Esses processos eram feitos de uma estrutura técnica integrada com um sistema global de registro, uma automatização resistente e ferramentas *web* de qualidade. Além disso, terceirizamos um trabalho de e-RH e implementamos fornecedores formais e procedimentos de gestão de projetos. Por volta de 2006, nossos serviços de RH tinham uma base sólida. A tecnologia, os processos e as ferramentas dos gerentes de área estavam com um fluxo tão bom que um dos funcionários declarou: "Em 2004, fui contratado para trabalhar no departamento de *marketing* da Intel e, por dois anos, nunca precisei falar com uma pessoa do RH! Todos os processos de pessoal, folha de pagamento, benefícios e gestão de desempenho fluíam suavemente. Se eu tivesse alguma dúvida, eu sabia que poderia encontrar as respostas *online* ou com o meu gerente".

Olhando para trás, pelos anos de melhoria, a extensão e a profundidade da mudança positiva na organização era imensa. A cultura de RH foi transformada. Agora, éramos uma organização proativa com vontade de gerenciar com dados. Fixamos nossos problemas de qualidade em geral para menos de 2K DPM (uma considerável redução de 98%) e nosso índice de satisfação do cliente interno geralmente ficava acima de 90%. E, apesar de ter havido progresso nos custos durante esse tempo, eles não eram nosso foco principal. Para o RH, de 2001 até o início de 2006, a concentração foi em serviços de primeira classe, visando a melhor qualidade e uma perfeita satisfação do cliente.

Mas a Intel enfrentava uma crescente pressão da concorrência, pois continuava a crescer nos mercados emergentes e a vender mais produtos nas economias em desenvolvimento. Em janeiro de 2006, quando a Intel não conseguiu atingir as expectativas dos clientes e suas próprias expectativas de receitas e lucros para 2005, juntou-se à Yahoo e a outras empresas de alta tecnologia em uma espantosa queda de ações de mais de 15%. Durante todo o primeiro trimestre de 2006, as ações continuaram a cair, e a equipe de liderança da Intel sabia que precisava revitalizar o crescimento. Por volta de junho de 2006, as ações haviam caído 35% de seu pico em dezembro do ano anterior. A equipe de liderança começou a agir naquele mesmo mês, quando a Intel anunciou que estaria lançando um novo *chip* para movimentar os servidores de rede, o processador Xeon 5100. A Intel também anunciou que iria vender para Marvell Technology, num negócio de $600 milhões, uma divisão que fabricava processadores para dispositivos portáteis. A venda era parte de um grande plano de reestruturação e, depois de alguns meses de intensas análises durante o verão de 2006, a equipe de liderança estava pronta para executar seu plano de mudar radicalmente a Intel na busca de uma estrutura de custos mais baixa, e maior agilidade e eficiência.

Em 5 de setembro de 2006, a Intel anunciou planos para uma importante reestruturação, com a redução de 10.500 empregos. Como resultado dessa reestruturação, por volta de 2008, os custos e despesas operacionais cairiam em $3 bilhões anuais. Além disso, a Intel esperava poder evitar gastos de capital de $1 bilhão ao melhorar a produção de equipamentos e o uso de espaço. As economias seriam uma combinação de etapas não relacionadas com a força de trabalho e de uma redução significativa da força de trabalho da Intel.

O RH havia feito importantes avanços desde o encontro casual de seu executivo com seu colega no aeroporto oito anos antes. Com uma crescente confiança na capacidade do RH de entregar resultados táticos, havia agora um claro *business case* para que o RH se transformasse de uma organização transacional de alta performance para uma organização altamente estratégica.

Fase 2: resultados desejados

Ao mesmo tempo em que nos preparávamos para anunciar a reestruturação da Intel, participamos de uma série de discussões estratégicas a fim de determinar as capacitações necessárias para seu crescimento futuro. Um resultado óbvio para todos os nossos investidores era reduzir custos e melhorar nosso balanço. Entretanto, apesar de ser uma necessidade, percebemos que uma estratégia baseada na redução de custos seria desastrosa em nossa indústria. Para garantir que a empresa fosse capaz de gerar resultados de longo prazo para todos os seus *stakeholders* (investidores, clientes, funcionários e comunidades), voltamos às nossas raízes. Percebemos que, para crescer de verdade no futuro, seria necessário manter a Lei de Moore e assegurar a capacitação organizacional de rápida inovação. Além disso, desde os fundadores (ambos PhD) até nossos engenheiros, líderes operacionais e comerciantes, sempre fomos um grupo inteligente e educado. Percebemos que precisaríamos continuar a melhorar nossa capacidade de atrair, contratar e reter talentos brilhantes. Por fim, mesmo com o ambiente de colaboração que a Intel sempre tivera, decidimos nos concentrar no aumento da colaboração e na exigência de um grande nível de iniciativa nessa colaboração.

Além do trabalho tático que já estava prestando, o RH tinha uma nova tarefa: estimular capacitações em inovações rápidas, talentos brilhantes e colaboração proativa. Para isso, percebemos que precisaríamos reduzir o custo e a complexidade de nossos serviços táticos e começar a desenvolver uma competência estratégica entre nossos profissionais de RH.

Fase 3: redesenho do RH

Antes de mais nada, tivemos que fazer um ajuste fino em nossa estratégia de RH para que se adequasse à estratégia da organização no futuro. Percebemos que nossa visão e missão iniciais estavam fundamentalmente alinhados, por isso ajustamos nosso modelo estratégico de acordo com as novas circunstâncias. Como no caso de qualquer função de apoio em uma indústria em rápida mudança, os ajustes da estratégia são movidos por uma confluência de forças. Percebemos que em nossa nova estratégia tínhamos que não apenas continuar entregando bem os serviços de RH, mas também entregar serviços de RH que proporcionassem uma colaboração proativa, talentos brilhantes e rápida inovação.

Organização do RH

Com a nova estratégia em mente, ajustamos nossa estrutura e alocação de recursos para alcançar os resultados desejados em cada onda transformacional. Nos anos anteriores, tínhamos focado em contratar recursos adicionais para melhorar o conhecimento e o fluxo de informação entre organizações fechadas em silos, para melhorar os fundamentos como gerenciamento de dados e de projetos. Todos os acréscimos e aumentos de orçamento haviam sido bem planejados e cuidadosamente dispostos da forma usual sobre o preenchimento de lacunas nas nossas capacitações e profundidade de gestão, e nas nossas habilidades comerciais e técnicas.

Agora, no novo contexto de negócios, a reestruturação de cima para baixo e as iniciativas estratégicas impulsionaram nossa estratégia de transformação do RH. Ajustamos nossa estrutura e alocação de recursos para os resultados desejados. Formamos uma nova organização unificada com uma estrutura tripartite: um grupo de projeto estratégico, um grupo de canais de negócios e um grupo operacional de RH:

- *Os grupos de programas estratégicos e de projeto* são responsáveis pela elaboração dos programas de marca que dão à Intel uma vantagem competitiva. A equipe se concentra na estratégia de RH de longo alcance ao desenvolver nossas capacitações organizacionais desejadas de talento, colaboração e inovação ao alavancar diversidade, gestão e aquisição de talentos, e remuneração e benefícios. Esta organização é semelhante aos "centros de *expertise*" desenvolvidos em outras empresas; entretanto, um exclusivo elemento de projeto é a colaboração natural desenvolvida no modo como as funções atuam. Procurando estimular a inovação e a colaboração dentro de nossa própria organização, esperamos criar práticas e políticas ao redor de práticas-chave de RH que fazem o mesmo.

- *O canal voltado para os negócios* era responsável por determinar a função da parceria do RH nas unidades da empresa. Estes são os parceiros responsáveis por desenvolvimento organizacional, relacionamento entre funcionários, parcerias estratégicas, análise e implantação do programa. Esta foi uma área-chave onde descobrimos que precisávamos melhorar nosso conjunto de habilidades. Muitos dos nossos funcionários do RH eram muito bons na execução tática, no gerenciamento de projetos e na entrega de programas; mas descobrimos uma lacuna nas habilidades analíticas e de consultoria. Em muitos casos, simplesmente tínhamos que contratar novos talentos para a organização para preencher a função de parceiro de negócios.
- *O grupo de operações* era responsável pela prestação de todos os serviços de RH, inclusive pagamentos, benefícios, treinamento, pessoal, realocação e viagens. Esse grupo herdou a maior parte do trabalho que havíamos feito em anos passados. Considerando as pressões de custos e a orientação estratégica, tivemos de realinhar os níveis de exigência e serviço, padronizar e racionalizar muitos sistemas e reduzir a complexidade. Por fim, esse grupo foi considerado responsável pela geração de valor ao acionista, reduzindo a estrutura de custo anual em cerca de $100 milhões. Apesar do belo trabalho feito até 2006, o grupo de operações enfrentava uma enorme tarefa: tinha que continuar a prestar serviços de alta qualidade com uma razoável satisfação do cliente a um custo que se aproximava do *benchmark* do primeiro quartil.

Definidas as três áreas-chave, realinhamos programas, recursos e tarefas. Além disso, integramos o RH e os recursos de treinamento previamente reportados às unidades de negócios da Intel; de maneira inversa, repatriamos finanças, TI e outros recursos antes relacionados à função de RH para suas respectivas organizações. Dadas as condições extremas dos negócios e a redução de 10.500 empregos, fomos forçados a reduzir de forma dramática os recursos em todas as três divisões de RH, e o trabalho que não era percebido como estratégico ou essencial para as operações comerciais foram eliminados. Estas eram decisões extremamente difíceis, mas precisavam ser tomadas para equilibrar o navio. Estabelecemos uma meta que coloca a proporção de profissionais de RH para abranger os funcionários da Intel em 1:55, bastante enxuta para ser eficiente, mas não tão enxuta que pudesse prejudicar a qualidade de serviço e a parceria.

Práticas de RH

Como observado, o grupo de operações é responsável pela modificação de nossas práticas de RH a fim de usar menos recursos e colocar um foco maior em inovação, talento e colaboração. Diferente de outras atividades características que podemos encontrar em outras organizações que passam por transformação do RH, observamos que estávamos desvalorizando muitas de nossas práticas de RH. Ao longo dos anos, e com orçamentos mais restritos, desenvolvemos práticas de classe mundial que, apesar de muito boas, nem sempre garantiam à empresa uma vantagem competitiva. Considerando a necessidade de reduzir custos e alocar mais recursos às atividades de RH que aumentariam nossa vantagem competitiva, descobrimos que tínhamos de viver com uma taxa maior de DPM e uma taxa menor de "satisfação do cliente interno". O resultado em 2007 e 2008 foi uma já esperada redução na satisfação dos funcionários e gerentes com muitas das medidas táticas de RH.

Apesar de tudo, nosso grupo de operações continua a promover melhorias em duas áreas importantes: foco nos resultados e prioridades do negócio, e eliminação da burocracia e facilitação da transparência utilizando métricas e dados entregues diretamente aos gerentes. Por exemplo, como estamos fazendo menos contratações, enfatizamos ideias como o programa de rotatividade do engenheiro, que nos permitiu focar a contratação dos melhores e dos mais inteligentes. Também nos concentramos na alavancagem da tecnologia para estimular uma colaboração global (por exemplo, entre outras iniciativas, trabalhamos com outros líderes de negócio para criar diversas salas de videoconferência). O RH também se concentrou na prestação de serviços que apoiaram o desenvolvimento do Quad-Core, do GT200, do RV770, e até mesmo o processador Intel Atom construído com os menores transistores do mundo e fabricado com a tecnologia líder da Intel de 45nm Hi-k Metal gate. O processador Intel Atom foi construído especialmente para os *"netbooks"* e *"nettops"* simples e baratos. E o interessante é que, ao mesmo tempo em que tivemos de fazer diversas escolhas difíceis, temos a satisfação de ver que as áreas nas quais estamos nos concentrando estão gerando valor para nossos clientes externos ao estimular inovações, foco no talento e crescente colaboração nas nossas equipes de desenvolvimento de produto.

As pessoas do RH

Nossas competências e funções do RH certamente mudaram junto com nossa transformação do RH. Nosso esforço para aumentar a excelência operacional do RH de 2001 a 2006 trouxe à tona as capacitações de gestão de projeto, engenharia de processo, gestão do relacionamento com o fornecedor, parceria de negócios, qualidade total, Seis Sigma, comunicação e análise de dados e relatórios. E agora nossa transformação, de tática para estratégica, trouxe à tona a organização de RH voltada para os negócios, na qual promovemos grandes mudanças para aprimorar o trabalho dos profissionais de RH, afastando-os das capacitações transacionais e direcionadas para tarefas treinando-os em capacitações de valor agregado. Mudamos os profissionais de negócios de RH para uma família de um único emprego com competências generalistas focadas no desenvolvimento organizacional, relações com os funcionários, parceria estratégica de negócio, análise e implantação do programa. Também limitamos o apoio do RH ao nível mais superior dentro de cada grupo de negócio. Realinhamos os recursos regionais. Finalmente, unificamos os recursos incorporados de RH em todo o empreendimento.

Organizamos a mudança em processos analíticos rigorosos para definir a condição atual e a distância entre onde estamos e a condição final desejada. Durante esses diagnósticos, também tomamos medidas imediatas, priorizando e obtendo vitórias rápidas para o máximo impacto. Depois do diagnóstico, implementamos soluções de acordo com um conjunto de roteiros funcionalmente integrados. Durante todo o tempo, mantivemos um sólido fluxo de comunicação com nossos *stakeholders*. Em resumo, as competências se alteraram de acordo com cada onda transformacional. Avaliamos profundamente todas as funções, acrescentando, removendo, organizando e alinhando as funções para os novos vetores e expectativas estratégicas. Avaliamos cada funcionário em relação aos novos conjuntos de competências. Administramos e organizamos a mudança cuidadosamente. As comunicações da estratégia, as mudanças organizacionais, as novas expectativas e os planos de transição ocorreram em todos os níveis, começando com os vice-presidentes do RH, a unidade de negócio do RH e a organização de RH por meio de foros de debate, reuniões gerais da equipe, lanches informais rápidos, *blogs*, *webcasts* e enxurradas de *e-mails*.

Além de considerar as competências, examinamos detalhadamente os antecedentes e experiências de nossa equipe de RH, com a intenção de equilibrar uma mescla específica de pessoas que trabalham no RH. Procuramos equilibrar nossa população de RH com um terço de pessoas com experiências tradicionais e outras funções analíticas (operacional, engenharia, finanças, jurídico, legal e assim por diante) e um terço de disciplinas externas, incluindo consultores, antropólogos e outros estudiosos. Um benefício significativo disso é que cada um dos três grupos traz sua própria rede de relacionamentos para a função de RH. Quando buscamos pessoas para diferentes funções, desenvolvemos um processo de recrutamento de "operação semente", com o qual encontramos pessoas de outras funções, com alto desempenho e grande potencial, para trazer para o RH, e mais tarde os encorajamos a trazer seus melhores funcionários de algum outro local da organização. O resultado é que a credibilidade do RH cresceu significativamente.

Obviamente, como em todas as outras abordagens, encontramos algumas armadilhas. Por exemplo, assim como pode ser difícil desenvolver competências analíticas comerciais entre o pessoal do RH, acontece que nem todos os engenheiros podem ter um bom desempenho em uma função do RH. Apesar disso, temos tido muito sucesso quando restringimos nossa seleção e esforços de treinamento para tratar desses assuntos.

Fase 4: implementação e responsabilidade

Ao longo dos dois últimos anos, a gerência de área apoiou cada onda de transformação do RH avaliando os recursos em comparação com novas funções e responsabilidades; selecionando, anulando as seleções e priorizando tarefas; comunicando e administrando a mudança dentro de seus grupos. Quando começamos nossa transformação, desenvolvemos quatro áreas-chave de foco e colaboração com os gerentes de área: disciplina de mudança de gestão, processos de gestão de *stakeholders*, ferramentas de comunicação com os funcionários e apoio, e rigor na gestão da transição.

Naturalmente, o trabalho teve certa dose de preocupação e frustração, incluindo comentários de que o planejamento e a implementação haviam demorado muito e de que as mudanças não foram imediatas, mas contí-

Capítulo 11 – Intel: Balançando o Pêndulo do Tático para o Estratégico

nuas, ao longo de um longo período de tempo. Algumas pessoas acham que a transformação do RH teve um impacto negativo na saúde da organização. A análise do impacto positivo nos resultados do negócio, pelos líderes de RH mais estratégicos, porém, gerou uma reação positiva enquanto a reputação do RH continua a se desenvolver.

Basicamente, acreditamos que nossa transformação do RH foi um sucesso e que atingimos a qualidade, a satisfação e os resultados financeiros que planejávamos, sem nenhuma interrupção dos níveis de serviço. Além disso, a organização de RH tem obtido sucesso por meio de suas próprias mudanças organizacionais, apoiando a empresa em suas transições.

Próximos passos

Percorremos um longo caminho na Intel e certamente temos ainda muito a percorrer. Encontramos o sucesso com as melhores práticas de uma sólida gestão de dados, um forte gerenciamento de projetos, identificando e ajustando a competência certa e os níveis de serviço, e recebendo forte apoio do CEO e de outros importantes executivos. De agora em diante, pretendemos continuar a focar na gestão do paradoxo de reduzir custos enquanto o desenvolvimento e comprometimento do funcionário aumentam. Concentrando-nos em nossa capacitação estratégica de inovação, talento e colaboração, acreditamos poder continuar a jornada permanente para agregar valor ao negócio por meio do RH.

TAKEDA NORTH AMERICA: CRIANDO CAPACITAÇÕES EM UMA SUBSIDIÁRIA DE CRESCIMENTO ACELERADO

12

Laurene Bentel

Sandy Mitsch

Antecedentes

Há mais de dois séculos, uma pequena farmácia foi aberta em Doshomachi, Osaka, Japão, para fornecer medicamentos aos comerciantes e médicos locais. Este foi o começo da atual Takeda Pharmaceutical Company Limited, a maior indústria farmacêutica do Japão. Muitas gerações mais tarde, em 1998, foi criada a Takeda Pharmaceuticals North America, Inc. (TPNA), subsidiária da Takeda Pharmaceutical Company Limited.

Fundada para acelerar a expansão global da Takeda no mercado dos Estados Unidos, a TPNA começou com três funcionários e hoje emprega mais de 5.000 pessoas. A TPNA foi criada com a introdução de ACTOS®*, um antidiabético oral. Nossa missão é simples e estimulante. Dedicamo-nos a atender os pacientes fornecendo produtos inovadores para melhorar sua qualidade de vida com melhor assistência médica. Nosso compromisso com os pacientes, funcionários, parceiros e a grande comunidade sustenta o objetivo de ampliar o tremendo sucesso de que desfrutamos como uma das quinze maiores indústrias farmacêuticas dos Estados Unidos. Este capítulo apresenta uma perspectiva única da transformação do RH em uma pequena mas progressiva subsidiária de uma grande empresa internacional.

---

* O caso apresentado é baseado na iniciativa de RH da empresa em 2006-2007. Em 2008, a TAP Pharmaceutical Products, Inc. fundiu-se com a TPNA e a Takeda Global Research and Development Center para formar a atual empresa, que tem uma base de funcionários e portfólio de produtos ainda maior.

Fase 1: contexto do negócio

Graças ao sucesso inicial de ACTOS®, nosso empreendimento em solo norte-americano experimentou um crescimento sem precedentes entre 1998 e 2005. Como o crescimento estava baseado principalmente em um único medicamento e a indústria enfrentava uma crescente pressão para apresentar produtos e soluções inovadores para enfrentar a competição global, a equipe de liderança do TPNA traçou uma estratégia para se movimentar rapidamente, de um único produto para um portfólio de diversos produtos. A partir de 2005, a TPNA começou a lançar medicamentos adicionais, incluindo Duetact® e ROZEREM®. Cada um desses lançamentos exigiu muitos recursos e um foco detalhado no mercado para manter o ritmo de pressão e aumentar a fatia de mercado. Enquanto isso, os líderes da TPNA passaram a competir por talentos da indústria farmacêutica, o que adicionou uma intensa pressão para atrair e manter os melhores líderes.

Como acontece em qualquer começo, a primeira responsabilidade do RH era apenas fazer o básico de maneira correta. Entretanto, considerando o rápido crescimento, o trabalho transacional relativamente simples, como remuneração e benefícios, de repente tornou-se uma missão crítica, pois o grupo de trabalho passou de algumas centenas de funcionários para milhares deles em poucos anos. Em um dos mercados, por exemplo, enfrentamos a exigência dos líderes da TPNA de contratar mais de 5 mil representantes de vendas em um trimestre. Por volta de janeiro de 2006, foi formada uma nova equipe de liderança de RH, que rapidamente percebeu que o RH precisava mudar de uma organização de RH transacional tradicional para uma organização estratégica, dirigida aos negócios, para que pudesse manter esse mesmo nível de crescimento nos anos seguintes.

Fase 2: resultados

Considerando as necessidades do cliente e crescentes exigências para que os líderes de negócio gerassem valor, no início de 2006, a equipe de liderança do RH reuniu-se para uma reunião fora da empresa com o objetivo de reestabelecer a estratégia de RH. Nossa meta era desenvolver um grupo de RH mais dirigido ao negócio e menos dirigido à transação, que ajudasse os líderes a alcançar seu talento e necessidades organizacionais ao longo dos cinco anos seguintes de crescimento.

Nossa equipe percebeu que eram necessários mais dados para assegurar um forte alinhamento com os líderes de negócio. Decidimos seguir uma abordagem de desenvolvimento da estratégia em duas fases. Primeiro, entrevistamos os executivos e suas equipes da área comercial e das funções de apoio para reunir as percepções de estratégia, as perspectivas e as necessidades dos clientes. Depois, auxiliamos uma auditoria de capacitações organizacionais, conforme descrita por Ulrich e Smallwood no artigo do Harvard Business Review de 2004, "Tirando proveito das capacitações".

- *Talento*: Entre as muitas capacitações que podíamos focar, nossas entrevistas e auditorias identificaram o talento como uma das competências mais importantes para o sucesso da TPNA. Como pretendíamos continuar o rápido crescimento em um ambiente muito empreendedor, precisávamos de pessoas experientes, que podiam começar a trabalhar imediatamente, com grande tolerância à ambiguidade e mudança. Nossa unidade de negócio ainda era relativamente pequena, e nossa matriz nos permitia uma considerável flexibilidade – desde que alguns objetivos fossem atingidos. Isso levou a uma mentalidade de início de atividades agressiva, com os líderes de negócio em todas as funções confiando em pessoas com muita iniciativa que podiam prosperar em meio à incerteza enquanto criavam processos e políticas necessários para atender as necessidades dos clientes. As descobertas da auditoria também revelaram que havia necessidade de um conjunto de habilidades e experiências mais diversificadas das que tínhamos na época. Nossa equipe acreditava que se o RH desenvolvesse talento para nosso negócio, muitas das outras barreiras ao crescimento seriam solucionadas.
- *Responsabilidade*: A segunda capacitação que exigia um foco adicional era a responsabilidade. Para competir como um peixe pequeno no grande lago das indústrias farmacêuticas dos Estados Unidos, decidimos criar uma cultura sólida, dirigida ao desempenho. Os líderes de negócio concordaram que o foco na responsabilidade de gerar resultados *e* de demonstrar os valores da empresa equilibraria a cultura empreendedora e asseguraria qualidade e segurança aos nossos clientes. Como o RH tradicionalmente fornecia apoio transacional aos líderes de negócios, concordamos que a evolução de nosso desempenho e as práticas de tomada

de decisões para um padrão mais elevado seria um movimento natural e importante. Basicamente, tínhamos conhecimento de que precisávamos saber como criar e reforçar os padrões que levavam à alta performance e execução para manter nosso modelo da alto crescimento.

- *Inovação*: A sobrevivência da indústria farmacêutica depende muito de assegurar um canal seguro de novos e diferenciados tipos de medicamentos. Juntamente com o talento que precisávamos para fazer o trabalho e a responsabilidade de garantir que o trabalho fosse bem feito, concluímos que uma terceira capacitação organizacional importante para a TPNA era a inovação. Desenvolver uma forte capacitação inovadora tinha óbvias implicações para nossas equipes de pesquisa e desenvolvimento. Porém, também percebemos que para continuar a conquistar fatias de mercado dos grandes concorrentes seríamos bem-sucedidos se cada um dos funcionários da organização conseguisse melhorar os processos atuais e, quando necessário, desenvolvesse novos processos multifuncionais.

Depois de identificar os resultados do negócio importantes para o sucesso da TPNA, agora tínhamos a tarefa de criar uma função de RH para gerar talento, responsabilidade e inovação.

Fase 3: redesenho do RH

O que começou em 2006 como um esforço para entender melhor as necessidades do cliente e ajustar os profissionais de RH a essas necessidades, cresceu para uma transformação de grande escala no início de 2007. Quando terminamos as entrevistas e identificamos nossas três metas de capacitações organizacionais (talento, responsabilidade e inovação), a motivação dentro da equipe de RH e nos líderes de negócio para começar a fase de redesenho tinha crescido muito. Decidimos que a transformação para o RH da TPNA seria uma mudança completa do sistema, envolvendo não apenas uma maior parceria com os líderes de negócios de linha, mas também fazendo mudanças internas para alinhar melhor o departamento de RH com a estratégia de negócios. Essa mudança sistêmica que afetava a visão e os processos centrais de RH se traduzia em uma nova estratégia baseada na geração de capacitações organizacionais para estimular o crescimento do negócio.

A organização, as práticas e as pessoas do RH

Considerando o tamanho de nossa organização de RH e nosso desejo de manter a flexibilidade para adequar nossos planos de negócio, estruturamos nossa organização para incluir um centro de excelência de gestão de talentos, um grupo de experiência dos funcionários, programado para absorver o trabalho operacional do RH, e um grupo de parceiros de negócio do RH encarregado de permitir a execução estratégica pelos gerentes de área.

Centro de excelência – grupo de gestão de talentos

Com um foco apurado no desenvolvimento de talentos, reunimos nossos grupos de pessoal, treinamento e gestão de desempenho sob um guarda-chuva chamado de grupo de gestão de talentos. A missão do grupo era administrar o ciclo de vida dos funcionários, desde a pré-seleção, o treinamento e as primeiras experiências até o desenvolvimento de liderança e planejamento de sucessão.

Os líderes de negócio prontamente aceitaram o foco estratégico no talento e receberam com prazer a participação de nossos líderes do grupo de gestão de talentos durante o processo de planejamento de negócios. Nossos líderes de grupo estimularam debates para avaliar as necessidades de capital humano para cada função, como seriam utilizados e como maximizar o talento nas funções atuais. Também esboçamos as economias de curto e longo prazo da gestão estratégica de talento, em oposição à abordagem reativa de preencher rapidamente as vagas abertas e ignorar o impacto de más contratações no negócio. O compromisso inicial com os líderes de negócio foi recebido favoravelmente e resultou em pedidos adicionais da alta gerência.

Enquanto isso, as competências de desempenho foram alinhadas com nossas capacitações organizacionais e, por sua vez, nossos programas de aprendizado e de desenvolvimento se reconcentraram para um melhor ajuste com nossas competências. O resultado foi uma abordagem de desenvolvimento intencional ligada diretamente aos resultados e ao nosso processo de gestão de desempenho. Orientado por um líder com visão estratégica, o grupo de gestão de talentos encontrou sinergias na combinação de nossas equipes de pessoal, treinamento e gestão de desempenho e tornou-se o grupo colaborador ligado a todos os pontos-chave do ciclo de vida do funcionário.

RH operacional – grupo de experiência do funcionário

Nosso segundo grupo foi criado para alinhar as comunicações, a eficiência organizacional, o comprometimento do funcionário e a equipe de benefícios. Um dos principais resultados foi um centro de recursos do funcionário interno capaz de fornecer serviço experiente *high touch* – apoiando nosso foco no talento – ao estimular a eficiência no modelo de prestação de serviço.

Enquanto isso, um número de generalistas de RH, que anteriormente haviam sido designados para tratar das dúvidas dos funcionários e de problemas táticos semelhantes, tinha mais liberdade para desempenhar um trabalho mais estratégico. O centro tornou-se o primeiro ponto de contato para todas as dúvidas dos funcionários que chegavam ao RH e mudou a mentalidade dos funcionários em toda a organização. Lançamos o centro com uma iniciativa de comunicação estratégica e os funcionários rapidamente aprenderam aonde deveriam se dirigir para ter as respostas às suas perguntas, substituindo, assim, o volume do trabalho anteriormente feito por generalistas de RH e melhorando o nível de satisfação. Nossa equipe operacional continua a fazer com que o trabalho transacional seja mais eficiente por meio do apoio dos sistemas de RH e processamento da folha de pagamento e de benefícios. A equipe mais ampla de experiência do funcionário forneceu os dados (eficácia e comprometimento organizacional), os serviços e as mensagens (comunicações) para melhorar a experiência dos funcionários em geral.

RH incorporado – parceiros estratégicos de negócios

Em uma fase importante da reorganização, generalistas de RH com os conjuntos de habilidades certas eram reposicionados em papéis mais estratégicos e suas funções eram redefinidas como "parceiros de negócio do RH". Além da *expertise* do RH, esses parceiros precisavam ter uma excelente habilidade de escutar e aconselhar e uma sólida visão de negócios e uma boa base em finanças.

Capítulo 12 – Takeda North America: Criando Capacitações
em uma Subsidiária de Crescimento Acelerado

RH Corporativo

Considerando a criação de nosso papel de parceiro de negócios, do grupo de experiência do funcionário e do grupo de gestão de talentos, concordamos em manter uma equipe de liderança de RH muito pequena na TPNA. Nosso líder de RH corporativo no Japão, que foi consultado sobre as mudanças ao longo do processo, foi generoso ao permitir uma grande flexibilidade e nas mudanças que estavam sendo feitas, favorecendo um avanço rápido do processo.

Realinhando os profissionais de RH

Depois de avançarmos, do diagnóstico à nova estrutura, uma das questões importantes que precisava ser respondida era até que nível entendíamos que os líderes de RH estavam capacitados para agir nas novas funções. Depois de identificar as estruturas, nossa equipe de liderança de RH manteve uma sessão muito intensa, revisando o entusiasmo e as oportunidades de desenvolvimento de cada um de nossos profissionais de RH. As hipóteses foram conferidas e reconferidas e as mudanças foram anunciadas. Ajudamos muitos funcionários a se reequiparem, trouxemos novos talentos de fora da organização e ajudamos na transição de diversos funcionários, tanto interna quanto externamente, porque seu conjunto de habilidades não se adequava às nossas necessidades organizacionais. O resultado é uma organização em que o talento de RH é considerado como um recurso compartilhado, e honestidade e sinceridade são mais comuns.

Fase 4: responsabilidade e comunicação contínua

Manter todas as pessoas informadas durante a época de mudança, especialmente quando as mudanças afetavam diretamente os trabalhos individuais, foi importante no nosso processo de transformação do RH. Um de nossos métodos para manter nossos *stakeholders* envolvidos foi o de aumentar nossas entrevistas iniciais com os executivos e realizar reuniões periódicas com os *stakeholders* informando-os sobre novidades de nosso trabalho, nossa previsão dos próximos passos e expectativas das funções e responsabilidades. Além disso, ao longo da transformação, éramos orientados por consultores do RBL Group. Além de tirar proveito da orientação de Jon Younger e de outros durante cada etapa do processo, alavancamos a experiência de Jon para aumentar a credibilidade com nossa equipe de liderança e *stakeholders* externos, proporcionando *benchmarks* de melhores práticas e as últimas pesquisas sobre a mudança do papel do RH.

Próximos passos

Depois de completar a primeira etapa da transformação do RH, o negócio continuou a se desenvolver com significativas fusões, aquisições e uma reestruturação corporativa global. Como resultado, quando vemos maneiras de apoiar o negócio em constante mudança e de operá-lo de maneira mais eficiente, o RH continua a se desenvolver. Olhando para trás, nosso foco no talento provou ser a peça mais significativa do trabalho e contribuiu muito para nosso sucesso e para a habilidade de manter tanto o crescimento adquirido quanto o orgânico. A capacidade de nossa organização de assegurar responsabilidade e entregar inovação também melhorou. Apesar de já termos alcançado muitos dos resultados desejados, continuamos a reavaliar nossa abordagem com a intenção de melhorar continuamente e temos expectativa de crescimento futuro e transformação contínua.

ANEXO
CONJUNTO DE FERRAMENTAS PARA A TRANSFORMAÇÃO DO RH

Num esforço para tornar a transformação do RH tão prática quanto possível e para basear nossa teoria em exemplos de melhores práticas e processos comprovados, reunimos as seguintes ferramentas que podem ser encontradas em www.TransformHR.com. Acreditamos que serão úteis na jornada da transformação sustentável.

Capítulo 1

FERRAMENTA 1.1 | *Lista completa de viroses*

Em nosso trabalho de gestão de mudança, identificamos mais de 30 viroses comuns – razões frequentes pelas quais a mudança não ocorre como o esperado. Faça o *download* de toda a lista das viroses organizacionais e saiba mais sobre como combatê-las.

FERRAMENTA 1.2 | *Visão geral do modelo de transformação do RH*

Veja um vídeo de Dave Ulrich apresentando o modelo de transformação do RH. Veja como ele transformou sua teoria em realidade com exemplos de como as empresas implementaram cada fase de seu modelo.

Capítulo 2

FERRAMENTA 2.1 | *Avaliação da agilidade na transformação do RH*

Você está pronto para a transformação do RH? Convide toda sua equipe para preencher *online* a avaliação completa da Agilidade na Transformação do RH para determinar se está na hora de você transformar do RH.

▶ *Acesse www.TransformHR.com para encontrar essas ferramentas.*

Anexo

FERRAMENTA 2.2 | *Preparando a transformação do RH*

Aprenda com Jon Younger enquanto ele descreve como criar as condições de que você necessita para começar uma transformação de RH bem sucedida e mostra melhores práticas na preparação da transformação do RH. Compartilhe este vídeo com sua equipe durante a reunião de lançamento da transformação.

FERRAMENTA 2.3 | *Métodos para o início da a transformação do RH*

Faça o *download* de ideias e abordagens adicionais quando lançar uma iniciativa de transformação do RH.

FERRAMENTA 2.4 | *Análise do* stakeholder

Seja bastante claro para assegurar que as expectativas e necessidades de seu *stakeholder* sejam tratadas no início e estejam incorporadas em tudo que você faz em meio à transformação do RH. Faça o *download* e imprima as Fichas de Análise do *Stakeholder*. Faça com que toda a sua equipe preencha a ficha, depois dê prioridade para as necessidades do *stakeholder*.

FERRAMENTA 2.5 | *Ambiente externo*

O entendimento das complexidades do seu ambiente externo é fundamental para uma transformação sustentável do RH. Veja a explicação de Wayne Brockbank sobre o impacto do ambiente externo em uma transformação bem-sucedida.

FERRAMENTA 2.6 | *Planilha do* business case

Faça o *download* de uma cópia da planilha do *business case*. Incentive todos os membros da equipe de transformação do RH a completar a planilha antes da reunião de desenvolvimento do *business case*.

FERRAMENTA 2.7 | Business case *da transformação do RH*

Veja Justin Allen descrever um processo para desenvolvimento de um *business case* de transformação e preste atenção quando ele mostra exemplos das equipes de transformação que, de maneira eficiente, comunicaram seu *business case* para Conselho de Administração, para a diretoria, para a equipe de liderança do RH e para os profissionais de RH em toda a organização.

▶ *Acesse www.TransformHR.com para encontrar essas ferramentas.*

Anexo

Capítulo 3

FERRAMENTA 3.1 | *Capacitações organizacionais*

Assista a um vídeo em que Dave Ulrich explica a importância das capacitações organizacionais e por que elas são os produtos no. 1 do RH

FERRAMENTA 3.2 | *Avaliação das capacitações organizacionais*

Certifique-se de que sua equipe de transformação do RH saiba sobre as necessidades organizacionais. Confira a RBL Organizational Capability Assessment (Avaliação de capacitações organizacionais de RBL)

FERRAMENTA 3.3 | *Operacionalizando suas capacitações*

Transforme as capacitações identificadas na auditoria de capacitações em medidas específicas que podem ser monitoradas e controladas. Assista ao vídeo de Mark Nyman descrevendo como conectar os produtos da transformação em um *scorecard* para que todos conheçam os resultados desejados e vejam como a organização está alcançando esses resultados.

FERRAMENTA 3.4 | *Mapeamento das capacitações para os stakeholders*

Escute Justin Allen compartilhar exemplos de melhores práticas sobre como o desenvolvimento de capacitações-chave beneficiará os funcionários, gerentes de área, clientes, investidores, comunidades e outros *stakeholders*.

Capítulo 4

FERRAMENTA 4.1 | *Declaração da estratégia de RH*

Faça o *download* de uma cópia da HR Strategy Statement Worksheet (Planilha de Declaração da Estratégia do RH) e use esse documento como padrão em sua reunião de esclarecimento da estratégia de RH.

FERRAMENTA 4.2 | *Delineando uma poderosa estratégia de RH*

Acompanhe Wayne Brockbank enquanto ele descreve como esquematizar uma estratégia de RH e, depois, como torná-la real.

Anexo

FERRAMENTA 4.3 | *Trabalho estratégico* **versus** *transacional*

Como se pode ver no caso Pfizer (ver Capítulo 10), separar o trabalho transacional do trabalho transformacional é um passo essencial em qualquer transformação de RH. Ouça Mark Nyman descrever o processo de peneiramento.

Capítulo 5

FERRAMENTA 5.1 | *Visão geral dos Seis Bs*

Obtenha mais informações sobre os Seis Bs e outros recursos que podem ajudá-lo a alinhar suas práticas de RH com sua estratégia de negócio.

FERRAMENTA 5.2 | *Visão geral do VOI^2C^2E*

Obtenha mais informações sobre o uso do modelo VOI^2C^2E e outros recursos que podem ajudá-lo a apoiar e fortalecer seus funcionários de tal forma que eles fortalecem os outros.

FERRAMENTA 5.3 | *Planilha de avaliação de estratégia*

Faça o *download* da Planilha de Avaliação de Estratégia.

FERRAMENTA 5.4 | *Transformação das práticas de RH*

Escute Jon Younger descrever como ele ajudou muitos departamentos de RH a transformarem suas práticas para alinhá-las com as necessidades do cliente. Em especial, preste atenção na perspectiva exclusiva de Jon sobre como ligar o talento aos clientes.

Capítulo 6

FERRAMENTA 6.1 | *Visão geral das competências do RH*

Ao longo dos últimos 20 anos, Dave Ulrich e Wayne Brockbank coletaram a maior base de dados do mundo em competências de RH que têm impacto positivo sobre o sucesso do negócio. Ouça Wayne descrever os resultados da última rodada de coleta de dados e as implicações para os profissionais de RH.

▶ *Acesse www.TransformHR.com para encontrar essas ferramentas.*

Anexo

FERRAMENTA 6.2 | *Pesquisa sobre as competências do RH*

Faça o *download* de um resumo conciso do estudo RBL/Competências de RH da Universidade de Michigan e também do primeiro capítulo do livro HR Competencies (2008).

FERRAMENTA 6.3 | *Avaliações das competências do RH*

Assegure que você está focado no desenvolvimento das habilidades corretas para seus profissionais de RH, avaliando-as e, depois, comparando os dados de sua organização com o padrão global. Faça o *download* de um relatório modelo da Avaliação de competências de RH 360 do RBL.

FERRAMENTA 6.4 | *Desenvolvimento estratégico do profissional de RH*

O desenvolvimento eficaz dos profissionais de RH envolve intervenções em três categorias-chave: experiência no trabalho, experiência de vida e treinamento/orientação formal. Aprenda com as principais organizações globais enquanto Justin Allen compartilha as melhores práticas no desenvolvimento de liderança sustentável.

Capítulo 7

FERRAMENTA 7.1 | *Criando uma equipe (interna) de transformação do RH*

A criação da equipe de transformação do RH é importante para a execução eficaz e o sucesso no longo prazo. Ouça Mark Nyman descrever quem deve estar na equipe de RH e na gerência da área, e os papéis importantes que devem ser desempenhados.

FERRAMENTA 7.2 | *Criando uma equipe (externa) de transformação do RH*

Agora que você decidiu quem do RH e da gestão da linha deve estar na sua equipe de transformação, como você vai envolver clientes, investidores e líderes externos inteligentes? Ouça Jon Younger descrever funções externas essenciais para a transformação do RH.

Anexo

Capítulo 8

FERRAMENTA 8.1 | Checklist *das etapas da transformação do RH*

Ao longo de seu processo de transformação, utilize o *Checklist* das Etapas da Transformação do RH como um guia. Faça o *download* e imprima uma cópia do *Checklist* das Etapas.

FERRAMENTA 8.2 | Checklist *do piloto*

Faça o *download* e imprima uma cópia do *Checklist* do Piloto e aprenda mais sobre recursos para a gestão de mudanças sustentáveis.

FERRAMENTA 8.3 | *Responsabilidade e mudança*

Você já leu o livro, agora está na hora de fazer a mudança acontecer. Ouça os comentários finais de Dave Ulrich e aposte na profissão de RH.

▶ *Acesse www.TransformHR.com para encontrar essas ferramentas.*

REFERÊNCIAS E LEITURAS RECOMENDADAS

Somos gratos aos colegas que inspiraram nosso pensamento. Aqui oferecemos informações bibliográficas sobre os trabalhos que citamos ao longo do livro. Em seguida listamos nossos "favoritos" para aqueles leitores que quiserem continuar a estudar as quatro fases de transformação do RH.

Referências

Capítulo 2

McGahan, Anita M. e Michael E. Porter. "How Much Does Industry Matter, Really?" *Strategic Management Journal* 18, no. S1 (1997):15-30.

Ulrich, Dave e Norm Smallwood. *How Leaders Build Value*. Hoboken, NJ: Wiley, 2006.

Capítulo 3

Ulrich, Dave e Norm Smallwood. *Leadership Brand*. Boston: Harvard Business School Press, 2007.

Capítulo 4

Ulrich, Dave e Norm Smallwood. "Capitalizing on Capabilities". *Harvard Business Review* (Junho 2004): 119-27.

Ulrich, Dave, Wayne Brockbank, Dani Johnson, Kurt Sandholtz e Jon Younger. *HR Competencies*. Alexandria, VA: Society for Human Resource Management, 2008.

Capítulo 5

Boudreau, John e Peter Ramstad. *Beyond HR: The New Science of Human Capital*. Boston: Harvard Business Press, 2007.

Capelli, Peter. *Talend on Demand: Managing Talent in an Age of Uncertainty*. Boston: Harvard Business Press, 2007.

Cascio, Wayne e John Boudreau. *Investing in People: Financial Impact of Human Resource Initiatives*. Upper Saddle River, NJ: FT Press, 2008.

Ellig, Bruce. *The Complete Guide to Executive Compensation*. New York: McGraw-Hill, 2001.

Goldsmith, Marshall. "Try Feedforward Instead of Feedback". *Leader to Leader* 25 (Verão 2002): 11-14.

Huselid, Mark, Brian Becker e Richard Beatty. *The Workforce Scorecard: Managing Human Capital to Execute Strategy*. Boston: Harvard Business Press, 2007.

Lawler, Ed. *Talent: Making People Your Competitve Advantage*. San Francisco: Jossey-Bass, 2008.

Ulrich, Dave e Wayne Brockbank. *The HR Value Proposition*. Boston: Harvard Business Press, 2005.

Capítulo 6

Arvey, Richard, Maria Rotundo, Wendy Johnson, Zhen Zhang e Matt McGue. "Genetic and Environmental Components of Leadership Role Occupancy". Trabalho apresentado na 21ª conferência anual da SIOP (Society of Industrial and Organizational Psychology), Dallas, Texas, Abril de 2006.

Bouchard, Thomas J., Jr., David T. Bouchard, Matthew McGue, Nancy L. Segal, e Auke Tellegen. "Sources of Human Psychological Differences: The Minnesota Study of Twins Reared Apart". *Science*, 12 de Outubro de 1990.

Harris, Judith Rich. *The Nurture Assumption: Why Children Turn out the Way They Do*. New York: Free Press, 1998.

———. "WHere is the Child´s Environment? A Group of Socialization Theory of Development". *Psychological Review* 102, no. #3 (Julho 1995): 458-89.

Lombardo, Michael e Robert Eichinger. *The Leadership Machine*. Minneapolis: Lominger, 2002.

——. *The Leadership Architect: Norms and Validity Report*. Minneapolis: Lominger, 2003.

Quinn, Ryan e Wayne Brockbank. "The Development of Human Resource Professionals at BAE Systems". *Human Resource Management* 45, no. 3 (Outono, 2006): 477-94.

Ulrich, Dave. *Human Resource Champions*. Boston: Harvard Business Press, 1997.

——. "Coaching for Results". *Business Strategy Series* 9, no. 3 (2008): 104-14.

Ulrich, Dave, Wayne Brockbank, Dani Johnson e Jon Younger. "Human Resource Competencies: Responding to Increased Expectations". *Employment Relations Today* 34, no. 3 (2007): 1-12.

Capítulo 7

Ulrich, Dave, Wayne Brockbank, Dani Johnson, Kurt Sandholtz e Jon Younger. *HR Competencies*. Alexandria, VA: Society for Human Resource Management, 2008.

Leituras Recomendadas

Além das referências que mencionamos no texto (acima), também recomendamos as seguintes leituras complementares:

Fase 1

Charam, Ram. *Leadership in the Era of Economic Uncertainty. The New Rules for Getting the Right Things Done in Difficult Times*.

——. *What the CEO Wants you do Know: How Your Company Really Works*.

Christensen, Clayton. *The Innovator´s Dilemma*.

Friedman, Thomas. *Hot, Flat and Crowded*.

——. *The World is Flat*.

Hamlet, Gary e C.K. Prahalad. *Competing for the Future.*
Hamel, Gary. *The Future of Management.*
Heath, Chip. *Made to Sitck: Why Some Ideas Survive and others Die.*
Kim, Chan e Renée Mauborgne. *Blue Ocean Strategy.*
Mintzberg, Henry. *Mintzberg on Management.*
———. *Tracking Strategies.*
Porter, Michael. *Competitive Advantage.*
———. *Competitive Strategy.*
Prahalad, C.K. e Venkat Ramaswamy. *The Future of Competition: Co-Creating Unique Value with Customers.*
Saloner, Garth, Andrea Shepard e Joel Podolny. *Strategic Management.*
Ulwick, Anthony. *What Customer's Want: Using Outcome-Driven Innovation to Create Breakthrough Products and Services.*
Walker, Gordon. *Competitive Strategy.*

Fase 2

Charan, Ram e Larry Bossidy. *Execution.*
Galbraith, Jay. *Designing Your Organization.*
Hesselbein, Frances, Marshall Goldsmith e Richard Beckhard. *Organization of the Future.*
Kotter, John. *A Sense of Urgency.*
Lawler, Edward. *Built to Change: How to Achieve Sustained Organization Effectiveness.*
———. *From the Ground Up: Six Principles for Building the New Logic Corporation.*
———. *Talent: Making People Your Competitive Advantage.*
———. *Ultimate Advantage.*
Nadler, David A., Marc S. Gerstein e Robert B. Shaw. *Organizational Architecture: Designs for Changing Organizations.*
Senge, Peter. *Fifth Discipline.*
Ulrich, Dave e Dale Lake. *Organization Capability.*
Ulrich, Dave e Norm Smallwood. *Capitalizing on Capabilities.*

Fase 3

Becker, Brian, Mark Huselid e Dave Ulrich. *HR Scorecard*.
Boudreau, John. *Beyond HR*.
———. *Talent*.
Capelli, Peter. *Talent on Demand*.
Cascio, Wayne. *Investing in People*.
Huselid, Mark, Brian Becker e Dick Beatty. *The Differentiated Workforce*.
Joyce, William, Nitin Nohria e Bruce Robertson. *What Really Works: The 4+2 Formula for Sustained Business Success*.
Ulrich, Dave e Wayne Brockbank. *HR Value Propostion*.
Ulrich, Dave. *HR Champions*.

Fase 4

Bridges, William. *Managing Transitions*.
Kerr, Steve. *Reward Systems: Does Yours Measure up? (Memo to the CEO)*
Kotter, John. *Leading Change*.

ÍNDICE

A

Acompanhamento
  Flextronics, 191
  funcionários, 102-104
  Intel, 218-219
  Pfizer, 207
  profissionais de RH, 132-133
  Takeda, 228
Administração do desempenho, 93, 100-104, 195
  recompensas, 101-103
Administrador da mudança, 120
Agente de mudança, 115, 116
Aliado de negócios, 122
Alinhamento das práticas de RH, 108
Altizer, Chris, 193
Ambiente físico de trabalho, 107
Analistas. *Ver também – Expertise* em RH – medidas do *stakeholders*, 47
Apple, 48
Aprendizagem, 54-56, 166-168, 173-175
  experiência de formação, 129-131
  experiência de trabalho, 127-130
  experiência de vida, 131
Arquitetura, 82, 117-118, 121
Arquitetura estratégica, 82, 121
Ativismo, 120
Auditoria, 83, 158, 166
Avaliação
  análises de 360 graus, 125-132
  funcionário, 95
  profissionais de RH, 123-126

B

Bentel, Laurene, 221
BNP Paribas, 147
Bolden, Michele, 193
British Airways, 93
Busca de candidato, 74-75

C

Capacitações estratégicas, 158-159
Capital de longo prazo, 101-102
Cardinal Health, 147
Centros de excelência, 188-189
  Takeda, 225-226
Centros de *expertise*, 80, 202. *Ver também Expertise* em RH
Centros de serviço, 73-79
  centralização, 73-74
  custos, 73-75
  economias de escala, 74-75
  nos países desenvolvidos, 73-75
  tecnologia, 74-75
  terceirização, 74-77
Classificação do trabalho, 199-202
Clientes, 31
  como *stakeholders*, 33-35
  conexão com, 56-57, 184
  diversidade, 106
  medidas dos *stakeholders*, 47, 62
  papel na transformação do RH, 146-150
Coaching, 117, 142-143
Colaboração, 53-55
Competência, 94-97
  acompanhar a, 95-96
  aperfeiçoamento de talentos, 95-96
  avaliação, 95, 123-126
  identificando, 94-95
  profissionais de RH, 113-135
Compromisso, 97, 189-190
  dimensão do, 97
  VOI^{2}C^{2}E, 97-98
Comunicação, 103-105
  business case para Transformação do RH, 157-158
  Takeda, 227-228
Comunidade
  como *stakeholder*, 37
  medidas do *stakeholder*, 47, 62
Comunidade de aprendizagem, 86
Concorrentes
  como acionistas, 35-36
  diversidade, 106
Conhecimento, 72
Conselheiros, 150-154

Consultores, 150-154
Contexto do negócio, 18-20, 27-42
 atividades, 156-158
 clientes, 31
 condições comerciais, 30-32
 empresas centralizadas *versus* empresas descentralizadas, 65-71
 etapas, 156-158
 Flextronics, 181-183
 globalização, 30-31
 Intel, 209-213
 mercados, 31
 Pfizer, 193-195
 resultados, 156-158
 Takeda, 222
 tecnologia, 31
 tendências econômicas, 30
 transformação do RH, 18-20, 27-42, 70-71
Contratando, 127
Contribuição, 89, 98-99
Credibilidade, 120
Cultura, 120
 diversidade, 106
 mudança, 171, 173-174

D
Dados
 assuntos privados, 75-76
 coleta, 75-76
 padrões, 124
Declaração da estratégia, 69-70, 159-160
Defendendo os funcionários, 116
Departamentos legais, 17
Desenho do RH. *Ver* Redesenho do departamento de RH
Desenvolvedor de capital humano, 116
Diário de aprendizagem, 131
Diretor de RH, 138. *Ver também* Profissionais de RH
Disney, 48
Diversidade da indústria, 106
Diversidade de produtos, 106

E
Eficiência, 60-61, 72-76
 Flextronics, 185
Empreendimento, 202
Empregos
 atribuições, 129-130
 experiência, 127-130

Empresas, centralizadas e descentralizadas, 70-71. *Ver também* Contexto de negócio
Equipe de transformação de RH, 153-154, 156-157, 164-165
Esclarecimentos estratégicos, 100-101
Especialista administrativo, 115, 116. *Ver também Expertise* em RH
Especialista funcional, 116
Estrutura organizacional, 73-74, 104-106, 201-204, 214-216
 tipos de, 71 (*Ver também* Redesenho do departamento de RH)
Estudos de caso
 Flextronics, 179, 181-191
 Intel, 180-191
 Pfizer, 179-180, 193-207
 Takeda, 180, 221-228
Etapas das transformações de RH, 153-165
 como um plano, 165-166
Execução operacional, 86-89, 121-122
 avaliando a contribuição, 89
 cargas, 89
 foco do negócio, 89
 habilidades para, 88-89
 Intel, 214-216
 Pfizer, 203-204
 prioridades para, 89
 selecionando pessoas para, 88
Experiência de formação, 129-131
 baseada na universidade, 130
 in-house, 130
Experiência de vida, 131
Expertise em RH, 83-86, 202
 comunidade de aprendizagem, 86
 intervenções, 84-85
 menus de melhores práticas, 84-86

F
Facilitando, 118
Feedback, 102-104, 124
Finanças, 17
Flextronics, 179, 181-191
 acompanhamento, 191
 capacitações organizacionais, 183-184
 centros de excelência, 188-189
 compromisso, 189-190
 conectividade com os clientes, 184
 contexto do negócio, 181-183
 distribuindo práticas de RH, 188-190
 eficiência, 185

Índice

estratégia de RH, 185-186
liderança, 184
organização de RH, 186-187
parceiros comerciais de RH, 188-188
redesenho do departamento de RH,
  185-190
responsabilidade, 189-191
terceirização, 188-189
Fornecedores, 35-36, 62
Funcionário-padrão, 115, 116
Funcionários
  acompanhar, 95-96
  administração de desempenho, 100-104
  aprimoramento do talento, 95-96 (Ver
    também Talento)
  avaliação, 95 (Ver também Avaliação)
  como *stakeholders*, 32-33
  compromisso, 97 (Ver também Compro-
    misso)
  medidas dos *stakeholders*, 47, 62
  padrões, 94-95
  práticas do pessoal, 92, 94-100
  relacionamento, 75-76
Funções do pessoal, 17

G
Generalista do RH, 204
Gerentes de área
  como público-alvo para o livro, 16
  como *stakeholders*, 33-34
  cultura corporativa, 78-79
  medidas dos *stakeholders*, 62
  papel na transformação do RH, 141-145
Gestão da recolocação, 74-75
Globalização, 30-31, 188-190
  fornecedores globais como acionistas,
    35-36
Goldsmith, Marshall, 102-103
Google, 48
Governança, 107
Grupo de experiência dos funcionários, 226

H
Humphries, Paul, 181, 183, 186, 188-190
Huselid, Mark, 109

I
Identidade, 68
  cultura corporativa, 78-79
Identidade da marca, 52-53, 147

Implementação, 165-175
Intel, 217-219
Pfizer, 205-206
Incentivos, 101-103
Inovação, 57-58, 110
Takeda, 224
Institucionalizando, 166-168, 171, 173-174
Integração das práticas de RH, 108-110,
  171, 173
Intel, 180, 209-219
  acompanhamento, 218-219
  contexto dos negócios, 209-213
  história da empresa, 209-213
  implementação, 217-219
  profissionais de RH, 216-218
  redesenho do departamento de RH,
    213-218
  responsabilidade, 217-219
  resultados, 213
Intervenções, 84-85
Investidores
  como acionistas, 34-35
  medidas dos acionistas, 47, 62
  papel na transformação do RH, 149-151
Investimento nos profissionais de RH,
  126-132, 164. Ver também profissionais de
  RH

K
Kellogg, 32, 88

L
Liderança, 164, 166-169
  como capacitação da empresa, 55-57
  equipe de liderança do RH, 139
  Flextronics, 184
  medidas dos *stakeholders*, 47
  profissional de RH, 116

M
McGahan, Anita, 31
McNamara, Mike, 183, 184, 189-190
Mentalidade, 52-53
Menus de melhores práticas, 84-86
Mercados, 31
Microsoft, 48
Missão, 69
Mitsch, Sandy, 221
Moerk, Hallstein, 149
Monitorando, 166-168, 174-175

Mudança
    condições de sucesso, 166-168, 206
    cultura, 171, 173-174
    manutenção, 189-191
Murray, Patty, 209

N
Natureza *versus* educação, 126-127
Necessidades compartilhadas, 166-170
Nokia, 149
Nyman, Mark, 195-196

O
Objetivos comerciais, 80
    necessidades compartilhadas, 169-170
Obrigação, 166-168, 171
Organizações
    avaliação, 95
    capacitações, 183-184

P
P&G, 147, 148
Padrões
    definindo padrões de desempenho, 100-101
    padrões dos funcionários, 94-95
    profissionais de RH, 113-122
Parceiro estratégico, 115, 116
Parceiros comerciais de RH, 187-188
Parceiros estratégicos de negócios, 226. *Ver também* RH incorporado
    definição, 81
Pauta do CEO, 80
Pedidos de benefícios, 74-75
Personalização, 74-75
Pfizer, 179-180, 193-207
    acompanhamento, 207
    centros de excelência, 202
    classificação do trabalho, 199-202
    contexto do negócio, 193-195
    execução operacional, 203-204
    implementação, 205-206
    necessidade de transformação do RH, 195-196
    organização do trabalho, 201-204
    plano para transformação do RH, 195-198
    redesenho do departamento de RH, 199-205
    resultados da transformação do RH, 199
    RH incorporado, 202-203

talento, 204-205
    unidade de negócio, 202-203
Planos de pensão, 74-75
Porter, Michael, 31
Práticas de desempenho, 100-104
Práticas de RH, 91-111, 215-217
    conteúdo, 91-107
    fluxo de administração de desempenho, 93, 100-104
    fluxo de informação, 93, 103-105
    fluxo de pessoas, 92, 94-100
    fluxo de trabalho, 93, 104-107
    processo, 91, 107-110
Práticas do pessoal, 92, 94-100
    competência, 94-97
    compromisso, 97
    contribuição, 98-99
Processamento, 74-75
Processos de trabalho, 107
Produtos HRIT, 74-75
Profissionais de RH, 113-122, 139-141, 163-164, 216-218
    acompanhamento, 132-133
    avaliação, 132-133
    competências, 113-134
    desenvolvimento profissional, 126-132
    gestão de negócios, 119
    gestão de pessoas, 119
    investimento, 126-132
    leitores de livros, 16
    padrões, 113-122
    Takeda, 227
Programas de assistência aos empregados, 74-75
Projetando práticas de RH, 118. *Ver também* Redesenho do departamento de RH

Q
Questões de privacidade, 75-76

R
Realidades comerciais, 157
Recompensas, 101-103
Recursos humanos (RH). *Ver também* transformação de RH como um parceiro de negócios, 17-18
    equívocos sobre, 142-144
    organização 159-161, 187-187
    papéis, 115-118
    prioridades, 160-163

Redesenho do departamento de RH, 67-90, 159-164
   como alcançar, 70-74
   estratégia, 67-70, 185-186
   Flextronics, 185-190
   Intel, 213-218
   Pfizer, 199-205
   resultados do, 69-70
   Takeda, 224-227
Reguladores
   medidas dos *stakeholders*, 35-37
Responsabilidade, 189-191
   atividades, 153-165
   equipe de transformação, 153-154
   etapas, 153-165
   implementação, 165-175
   Intel, 217-219
   mudança bem sucedida, 166, 206
   responsabilidade dos *stakeholders*, 137-154
   Takeda, 223-224, 227-228
Responsabilidade social, 59-61
Resultados das transformações de RH, 45-63, 158-159
   avaliando, 45
   capacitações, 48-61
   Intel, 213
   Pfizer, 199
   Takeda, 222-224
   valores gerados para os acionistas, 46-48, 156
RH corporativo, 227
   agenda do CEO, 80
   cultura corporativa, 78-79
   desenvolvimento profissional, 78-81
   objetivos de negócio, 80
   promovendo os funcionários, 80-81
   servindo como intermediário entre os centros de *expertise* e o RH integrado, 80
RH incorporado, 202-203
   definição, 81
   implementando estratégias de negócios, 83
   medição de desempenho, 83
   papéis dos profissionais, 82
   papel de auditor, 83
   Pfizer, 202-203
   Takeda, 226
Riscos, 60-61
Royal Bank of Scotland, 149

S
Saint Gobain, 32
Salário, 101-102
Simplicidade, 58-60
Sistemas de informação
   atualização, 76-77
   coleta de informação, 75-76
   privacidade, 75-76
Society of Industrial and Organizational Psychology (SIOP), 126
Stakeholders
   análise, 37-38
   benefícios para, 159
   chamar a atenção, 37-38
   expectativas, 32-40
   medidas, 62
   necessidades compartilhadas, 169-170
   visão, 170-171

T
Takeda, 180, 221-228
   acompanhamento, 228
   centros de excelência, 225-226
   comunicações, 227-228
   contexto do negócio, 222
   grupo de experiências dos funcionários, 226
   história da empresa, 228
   inovação, 224
   profissionais de RH, 227
   redesenho do departamento de RH, 224-227
   responsabilidade, 223-224, 227-228
   resultados da transformação de RH, 222-224
   RH incorporado, 226
   talento, 223-224
Talento, 50-52, 207
   aprimoramento, 95-96
   gerente, 121
   Pfizer, 204-205
   Takeda, 223-224
Taylor, Richard, 209
Tecnologia, 31
   centros de serviços, 74-75
   contexto do negócio, 31
   diversidade, 106
   tecnologia da informação, 17
   tecnologia em circulação 74-75
Tecnologia da informação, 17

Tecnologia em circulação, 74-75
Tendências econômicas, 30
Terceirização, 74-77, 188-189
　padronização, 77-78
　qualidade do serviço, 77-78
　redução de custos, 76-78
　simplicidade, 77-78
　trabalho transacional *versus* trabalho estratégico, 77-79
　velocidade, 77-78
Textron, 88
Tomada de decisões, 166-168, 171, 173
Trabalho estratégico *versus* trabalho transacional, 72-74, 77-79
Transformação do RH. *Ver também* Resultados da transformação do RH
　alinhando os negócios e as estratégias de RH, 19-20
　ambiente externo, 39-40
　atividades, 153-165
　avaliação da estratégia, 28-29
　business case, 39-42
　como alcançar, 70-74
　contexto do negócio, 18-20, 27-42, 70-71
　definição, 20-22
　desenho do departamento, 67-90 (*Ver também* Redesenho do departamento de RH)
　esforços isolados, 19-20
　exemplos, 39-42
　ferramentas para, 23-24, 229-234
　implementação, 165-175
　iniciativa com patrocínio individual, 19-20
　modelos, 21-23
　necessidade na Pfizer, 195-196
　papel da eficiência, 20-21
　perfil, 167
　resultados, 153-165
　roteiro para, 91-111
　versus RH tradicional. 37-38
Transmitindo as práticas de RH, 118, 188-190. *Ver também* Implementação

U

Unidade de negócios, 202-203
Unidade estratégica, 57-59, 108
United Technologies, 88

V

Velocidade como capacitação da empresa, 51-53, 77-78
Visão, 68, 166-168, 170-171
VOI^2C^2E, 97-98

W

Wilson, Quinn, 181, 187

OS AUTORES

Dave Ulrich

Dave Ulrich é professor de administração na Ross School of Business, Universidade de Michigan, e fundador do RBL Group. Tem 15 livros sobre temas de RH e liderança, incluindo *HR Champions*, *HR Value Proposition*, *HR Competencies*, *Results Based Leadership: How Leaders Build Value*, *Leadership Brand* e *Leadership Code*. Faz parte do Conselho de Administração da Herman Miller, é membro da National Academy of Human Resources e do Conselho de Curadores da Southern Virginia University.

Dave define as organizações pelas capacitações possuem. Seu trabalho ajudou a dar forma a capacitações-chave como mudança, aprendizado, colaboração, responsabilidade, talento, serviço, inovação e eficiência. Os resultados de liderança e RH são as capacitações de uma organização para transmitir valor a clientes, investidores e comunidades.

Apesar de estar envolvido em projetos de pesquisa de grande escala, a maioria de seus trabalhos se caracteriza por sintetizar ideias complexas em estruturas e ferramentas que os executivos podem usar. Dave Ulrich é citado como um dos principais gurus da sua área por publicações como *Business Week*, *Fast Company* e *HR Magazine*.

Justin Allen

Justin é diretor do RBL Institute e consultor do RBL Group. Ele se dedica a promover os campos de liderança e RH estratégicos conectando os líderes a ferramentas práticas, orientando teorias de vanguarda e oportunidades para o aprendizado mútuo.

No RBL Institute, Justin colabora com os líderes de RH das melhores empresas do mundo: P&G, Goldman Sachs, Mars, Unilever, Abu Dhabi Investment Authority, LG, Walmart, Nokia, IBM, Royal Bank of Scotland, Gap. Rogers, Westpac e muitas outras. A missão do RBL Institute é fornecer um fórum para que os maiores estrategistas mundiais de RH gerem ideias, compartilhem as melhores práticas e participem de pesquisas. Os participantes apelidaram o RBL Institute de "o *think tank* nº 1" de estratégia de recursos humanos.

Antes de se ligar ao RBL Group, Justin era consistentemente classificado como *"top talent"* na GE, um gerente de RH em uma unidade de negócios diferente, supervisionando a administração de desempenho, o desenvolvimento de lideranças, o pessoal, as comunicações e as relações sindicais. Justin também desempenhou diversas outras funções na GE, inclusive a de treinamento e desenvolvimento na GE Crotonville e o cargo de gerente operacional em Ciudad Juarez, no México.

Justin começou sua carreira como pesquisador internacional em estatística de mercado de trabalho e depois fez mestrado em gestão empresarial e comportamento organizacional na Brigham Young University. Ele gosta de viajar pelo mundo (Europa, Oriente Médio e Américas do Norte e do Sul) e adora as aventuras que realiza com sua esposa, Emily e seus filhos (dois meninos e duas meninas).

Wayne Brockbank

Wayne Brockbank é diretor do RBL Group e professor de Administração na Ross School of Business, na Universidade de Michigan. Nesta, Brockbank também é o diretor do Centro de Liderança Estratégica de RH e o diretor do corpo docente e instrutor principal do Programa de Planejamento Estratégico de Recursos Humanos, do Programa Executivo de Recursos Humanos e do Programa Executivo Avançado de Recursos Humanos. Ele também é o diretor dos programas executivos de RH em Hong Kong, Singapura, Emirados Árabes e Índia, bem como do Programa Global de Michigan em Gestão Administrativa, na Índia.

Brockbank completou seu PhD na UCLA e obteve seu grau de Bachelor of Arts e Master of Organizational Behavior na Brigham Young University.

Sua pesquisa e consultoria se concentram nas ligações entre as práticas de recursos humanos e estratégias de negócios, na criação de culturas corporativas de alta performance e na implementação de estratégias de negócios por meio de liderança.

Nessas áreas, Brockbank prestou consultoria para corporações em todos os continentes, tais como General Electric, Royal Mail, Cathay Pacific Airways, Unilever, Harley-Davidson, Citigroup, United Bank of Switzerland, Microsoft, IBM, British Telecom, Abu Dhabi Investment Authority, Perez Co., Ericsson, ICI, Godrej Group, Cardinal Health, Deustche Bank, RGMI, Medtronic, Rolls ROyce, Verizon, Australians Public Service Commission, Walt Disny Corporation, General Motors, Saudi Aramco, Texas Instruments, BP, International Paper, Walmart, Goldman Sachs e Hewlett-Packard.

O Dr. Brockbank participou de dezenas de *workshops,* inclusive na Academy of Management, Linkage, The Conference Board, SHRM, Singapore Civil Service e outras.

Jon Younger

Jon Younger é um dirigente do RBL Group que lidera a prática estratégica de RH e é um dos diretores do RBL Institute. Seu trabalho educacional executivo e de consultoria se concentra em ajudar os departamentos de RH, os líderes de RH e os profissionais a desempenharem um papel mais estratégico em suas organizações. Ele trabalhou para uma ampla gama de empresas em todo o mundo, incluindo AXA, Duke Energy, ING, GE, Takeda Pharmaceuticals, Novartis, Ontario Teacher´s Pension Plan (OTPP), Textron, Statoil Hydro, PricewaterhouseCoopers e Hewitt Associates.

A carreira de Jon tem sido uma mistura de consultoria, gestão administrativa e liderança de RH. Antes de ligar-se ao RBL Group, ele trabalhou na National City Corporation, na qual era o responsável pelo desenvolvimento de lideranças, aprendizagem corporativa, pessoal, gestão de desempenho e talento, e planejamento de sucessão. Ele também geriu a remuneração de executivos e estratégia de RH. Foi um dos fundadores e sócio-gerente do Novations Group, uma empresa de implementação de estratégia e desenvolvimento de lideranças. Também trabalhou por um curto período como vice-presidente executivo e COO da Net-Value U.S. e dirigiu uma equipe de consultoria global interna da Exxon Corporation.

Jon é o coautor de dois livros e de uma variedade de artigos publicados no *Harvard Business Review*, *HR Planning*, *HRM Journal* e muitas publicações do setor. Foi professor nos programas de educação de executivos em muitas escolas de administração e universidades corporativas. Seu PhD em Organization and Social Psychology é da Universidade de Toronto. Ele mora em Short Hills, N.J., com sua esposa, Carolyn.

Mark Nyman

Mark, um dirigente do RBL Group, passou sua vida auxiliando na transformação de organizações, criando objetivos estratégicos e, posteriormente, ajustando o projeto de suas organizações e sistemas a fim de atingir esses objetivos. Ele utiliza o alto envolvimento como uma maneira de criar senso de propriedade e ajuda seus clientes a pensarem de modo diferente sobre os temas que os desafiam.

Antes de se tornar um consultor externo, Mark desempenhou diversas funções de consultoria internas. Foi diretor de transformação de negócios na Media One, trabalhando na reestruturação do negócio e auxiliou a equipe de *start-up* de integração e liderança associada à aquisição da AT&T. Também trabalhou na Amocom, na qual foi o principal consultor no projeto e transformação de diversos negócios e aquisições. Mark também se envolveu no redesenho dos sistemas-chave de recursos humanos para criar melhor foco no negócio. Na Rockwell International, Mark atuou em uma função corporativa apoiando esforços de mudanças em grande escala. Ele também trabalhou na área de imprensa da Rockwell supervisionando a eficiência da organização e o treinamento de lideranças.

Mark trabalhou com numerosos clientes, entre os quais Adidas, American Century, Cisco, Comcast, Denver Children´s Hospital, Honeywell, Johns Manville, Kellog, Landmark Graphics, Pfizer, Rio Tinto, RR Donnelly, Saudi Armaco, Shell Oil, Sun Microsystems, Occidental Oil and Gás, e Williams Energy. Completou seu mestrado em Comportamento Organizacional na Brigham Young University, na qual se graduou com distinção.

OS COLABORADORES

Paul Humphries

Humphries é vice-presidente executivo do World Wide Human Resources and Management Systems, tendo dirigido anteriormente a empresa Mechanicals durante seis anos como vice-presidente sênior de Operações Globais. Em sua função atual, é responsável por recursos humanos, segurança mundial e responsabilidade corporativa de aproximadamente 80 instalações em 30 países que contam com mais de 200.000 funcionários. Além disso, supervisiona o desenvolvimento dos sistemas de gestão da empresa, em busca de uma melhoria sistêmica nas competências centrais estratégicas da empresa. Comandou as funções de TI e excelência empresarial na implantação de Produção Enxuta e Seis Sigma. É membro do conselho da Silicon Valley Educational Foundation e copresidente do grupo STEM (Science, Technology, Engineering and Math). Em 2000, passou a fazer parte da Flextronics por ocasião da aquisição da Chatham Technologies Inc., na qual trabalhou como vice-presidente sênior de Operações Globais, responsável por mais de 30 unidades de fabricação e projeto nos quatro continentes. Antes de se juntar à Flextronics, Sr. Humphries foi diretor superintendente da Holts Lloyd Divison (EMEA), área de produtos de consumo da Honeywell Corporation, e desempenhou o cargo de vice-presidente de operações e da cadeia de suprimentos na Autolite Divison na Allied Signal/Honeywell. Humphries passou 15 anos na Borg Warner Corporation no Reino Unido e nos Estados Unidos em diversas funções de liderança de negócios e RH. Estudou no Reino Unido, onde obteve seu diploma de Bachelor of Arts em Estudos Sociais Aplicados e sua qualificação de pós-graduação em gestão de recursos humanos.

Quinn Wilson

Quinn é o vice-presidente da Global RH Business Partners (HRBP) da Flextronics. Sua organização é responsável pela condução da agenda estratégia na Flextronics, incluindo projeto organizacional e eficiência, desenvolvimento de lideranças de alro escalão e gestão da cultura.

Nos últimos dois anos, Quinn participou da transformação do RH da Flextronics. Basicamente, Quinn trabalhou com a equipe da RBL no desenvolvimento de um processo de melhoria de capacitações de RH, utilizando o modelo de competência de RH da RBL. Quinn também trabalhou com sua equipe para desenvolver um "conjunto de ferramentas" de HRBP para ser usado na Flextronics pela equipe de RH global, incluindo temas como planejamento estratégico, projeto organizacional, planejamento de trabalho, desenvolvimento da estratégia de comunicações, gestão da cultura, etc.

Quinn se ligou à Flextronics quando da aquisição da Nortel em 2006, onde atuou por nove anos em diversas funções de liderança de RH. Antes da Nortel, Quinn trabalhou no setor de energia (BP/Amoco) por mais de seis anos. Nos últimos dezoito anos, Quinn desempenhou diversas funções de RH no contato com clientes, bem como papéis de especialista em RH nas relações com os funcionários, aquisição de talentos e remuneração, e trabalhou no exterior como expatriado.

Quinn tem um diploma empresarial com especialização em recursos humanos e finanças da Universidade de Saskatchewan. Mora em Calgary, Alberta, Canadá, com sua esposa, Naomi, e seus cinco filhos.

Chris Altizer

Chris Altizer é vice-presidente de capital humano da Pfizer Inc. Nesta posição, ele está ampliando o envolvimento da Pfizer em assuntos de melhoria de assistência médica, emprego e legislação trabalhista e políticas públicas relacionadas. Ele também está concentrado na melhoria da função de RH da Pfizer e lidera a equipe de projeto de replanejamento de RH da empresa.

Desde que se juntou à Pfizer, após a aquisição da Warner-Lambert em 2000, Chris também desempenhou funções generalistas no Japão, na Ásia e na América Latina e foi vice-presidente de desenvolvimento de talentos e liderança global, o que incluía a condução do desenvolvimento de administração, talento, gestão de desempenho e estratégias de engajamento de colegas. Antes de fazer parte da Pfizer, Chris desempenhou papéis de generalista e especialista de RH na Warner-Lambert e desempenhou diversas funções comerciais e de RH na Allstate Insurance Company, de 1985 a 1997.

Chris possui um grau de M.A.-H.R.D. da Northeastern Illinois University, um MBA da Columbia Business School, de Nova York, e um B.A. da Hampden-Sydney College, na Virginia. É um mergulhador certificado e instrutor de artes marciais, paixão que compartilha com a esposa e os dois filhos.

Michele Bolden

Michele Bolden é vice-presidente de Recursos Humanos da Pfizer Inc., na qual é a líder em RH, responsável pela liderança, talento, projeto organizacional, cultura e mudanças.

Michele iniciou suas atividades na Pfizer como diretora de recursos humanos nos laboratórios de Ann Arbor, em Ann Arbor, Michigan, como parceira de negócios de RH e foi promovida a funções de maior responsabilidade, inclusive como líder de RH, trabalhando junto com o vice-presidente. Antes de trabalhar na Pfizer, Michele trabalhou na área financeira com funções de gestão e RH. Ela tem uma experiência eclética, tendo começado sua carreira há mais de 30 anos, como professora de escola pública, adquirindo experiência em gestão de organização sem fins lucrativos, liderança da estratégia de diversidade e *ombudsman*.

Michele tem um M.H.R.D. da Rutgers University, um M. Ed. da Antioch College em gestão educacional e um B.S. em ensino fundamental da Boston University. Ela completou o Programa Avançado de Recursos Humanos da Universidade de Michigan e é membro da SHRM. Em seu tempo livre, ela é membro ativo do Conselho de Liderança Executiva e aprecia viagens e teatro.

Patty Murray

Patricia Murray é vice-presidente sênior e diretora de recursos humanos da Intel Corporation. É responsável por garantir que a empresa contrate, desenvolva e mantenha os melhores e mais inteligentes funcionários do setor. Também é responsável pelo fornecimento do melhor suporte e serviços baseados em tecnologia para mais de 80.000 funcionários da Intel em todo o mundo.

Murray começou na Intel em 1990 como advogada na equipe do departamento de recursos humanos. Em 1992, foi promovida a gerente dessa equipe, posição que manteve até sua promoção para vice-presidente e diretora de recursos humanos em 1996. Desde 1997, Murray é vice-presidente corporativa.

Antes de trabalhar na Intel, Murray foi advogada no escritório de Morrison and Foerster, em Palo Alto, Califórnia, quando se especializou em direito do trabalho. Antes de sua carreira jurídica, Murray foi enfermeira na unidade de cuidados especiais e administradora da enfermagem da University of Michigan Hospitals.

Murray nasceu em Detroit e obteve seu B.A. da Michigan State University, um B.S. na Saint Louis University e uma J.D. pela Universidade de Michigan em 1986.

Richard Taylor

Richard Taylor é vice-presidente e diretor de recursos humanos da Intel Corporation. Nessa função, ele supervisiona todas as políticas e programas de recursos humanos da empresa em todo o mundo.

Taylor começou a trabalhar na Intel como gerente de auditoria na Europa. De 1989 a 1997 ele desempenhou funções de gerente financeiro no Reino Unido, *controller* da Europa, *controller* do grupo de computação móvel e diretor de operações da Europa. Em 1998, Taylor foi promovido a *controller* corporativo e, em 1999, sua responsabilidade aumentou com a inclusão da distribuição dos serviços dos funcionários em todo o mundo.

Antes de trabalhar na Intel, Taylor foi um auditor corporativo da Mobil Oil Corporation de 1981 a 1986. De 1976 a 1981, trabalhou como gerente de auditoria na Deloitte e Touche.

Taylor recebeu seu título de bacharel em psicologia na Southampton University, no Reino Unido, em 1976. É membro do Institute of Chartered Accountants.

Laurene Bentel

Laurene é vice-presidente de Recursos Humanos e Administração da Takeda Pharmaceuticals North America, Inc. (TPNA). Como membro da equipe executiva, ela é responsável por todos os aspectos dos recursos humanos, bem como pelos departamentos de serviços corporativos e de segurança da TPNA e da Takeda Global Research & Development Center, Inc. Além disso, ela presta consultoria e fornece orientações para todas as funções de recursos humanos da Takeda San Diego. Também é responsável pelo apoio e orientação da exclusiva cultura Takeda e pela garantia de satisfação do empregado.

Antes de ser nomeada vice-presidente, Bentel trabalhou como diretora sênior de remuneração, benefícios e dos sistemas de informação de recursos humanos na Takeda, na qual dirigiu as unidades responsáveis por projeto, implementação e administração das remunerações, benefícios e sistemas de informação de recursos humanos. Bentel passou a trabalhar na Takeda a partir da Grant Thornton, na qual desempenhava a função de diretora de recursos humanos para o escritório corporativo. Lá, Bentel era responsável pela coordenação dos programas de recursos humanos, políticas e planos de benefícios dos funcionários.

Anteriormente, Bentel trabalhou na Apollo Travel Services, na qual tinha o cargo de *controller* e gerente corporativo das unidades operacionais. Nessas funções, Bentel administrava o planejamento de capital e despesas, e também era responsável pela criação, implementação e melhoria de outros processos de planejamento. Ela também analisava a rentabilidade das linhas de produção da Apollo e criava planos estratégicos para novos empreendimentos comerciais.

Bentel recebeu o título de bacharel da Northern Illinois University e fez o mestrado em administração de empresas da Arizona State University.

Sandy Mitsch

Sandy é a diretora sênior de Gestão de Talentos da Takeda Pharmaceuticals North America, Inc. (TPNA). Como membro da equipe de liderança de RH da Takeda, ela é responsável pelo grupo de talento da organização que inclui a aquisição de talentos (*sourcing e staffing*), planejamento (revisão de talentos e planejamento de sucessões), desenvolvimento (treinamento e *coaching*) e comprometimento (programas de funcionários e diversidade).

Antes de ser nomeada diretora sênior, Mitsch foi, por nove anos, proprietária de uma empresa de *coaching* executivo e de consultoria. Foi ainda VP de recursos humanos e desenvolvimento de organizações de uma empresa de assistência médica e dirigia o processo de treinamento de lideranças para a equipe sênior de administração e seus subordinados diretos.

Mitsch é instrutora mestre certificada pelo International Coach Federation (ICF) e é oficialmente treinada e certificada pelo The Coaches Training Institute. Como executiva fundadora do Conselho de Administração da Chicago Coach Federation, Mitsch foi presidente do grupo em 2002.

Mitsch recebeu o título de bacharel em psicologia e comunicação pela Northern Illinois University.